エレナ・トゥタッチコワ《Walking Lines #1》2022年
紙にパステル鉛筆・水彩色鉛筆、76.5×56.5cm

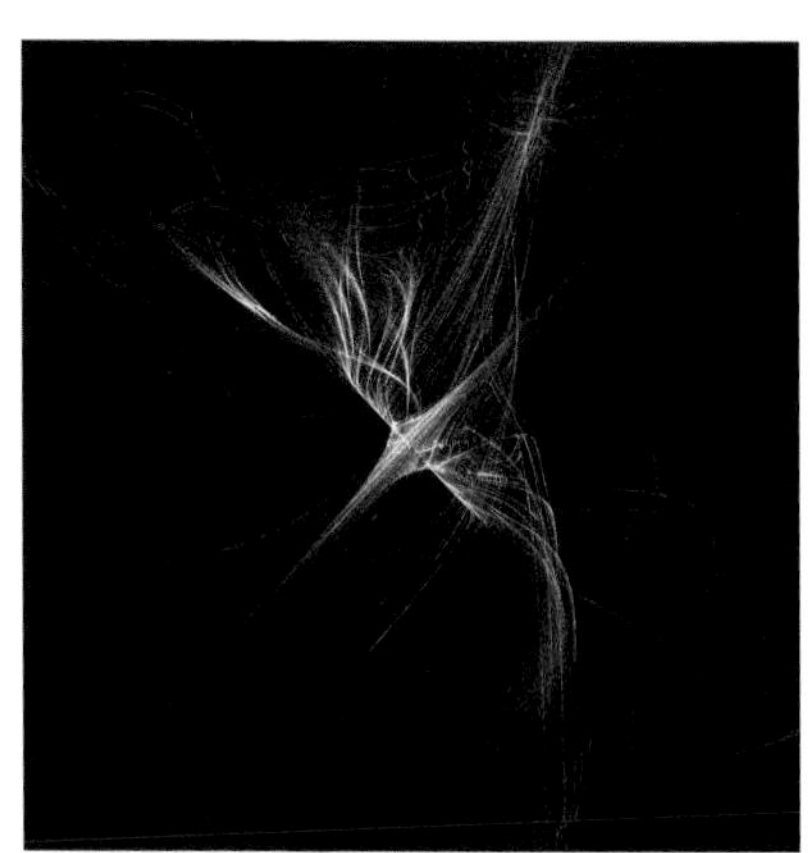

右上｜大小島真木《綻びの螺旋》より、［壁面］〈マンダラージュ〉アクリル・布・スプレー、581.7×645cm・5 unites、［手前右］〈マンダラージュSeeds〉端材布・再生綿・糸・刺繍・漂流物・流木・アクリル絵具・紙粘土・針金、Projected with UpcicyleLino、［床面］〈地脈〉床にカッティングシートプリント、サイズ可変、角川武蔵野ミュージアム、2021年　撮影：足利森
右下｜小宮りさ麻吏奈《This is not self-replicantion》「とうとうたらりたらりらたらりあがりららりとう」展、新宿歌舞伎町能舞台、2022年、協力：studio ghost　撮影：竹久直樹
左上｜木本圭子《イマジナリー・ナンバーズ》2003年、3500×3500pixel、プログラミングによる画像生成、印画紙出力

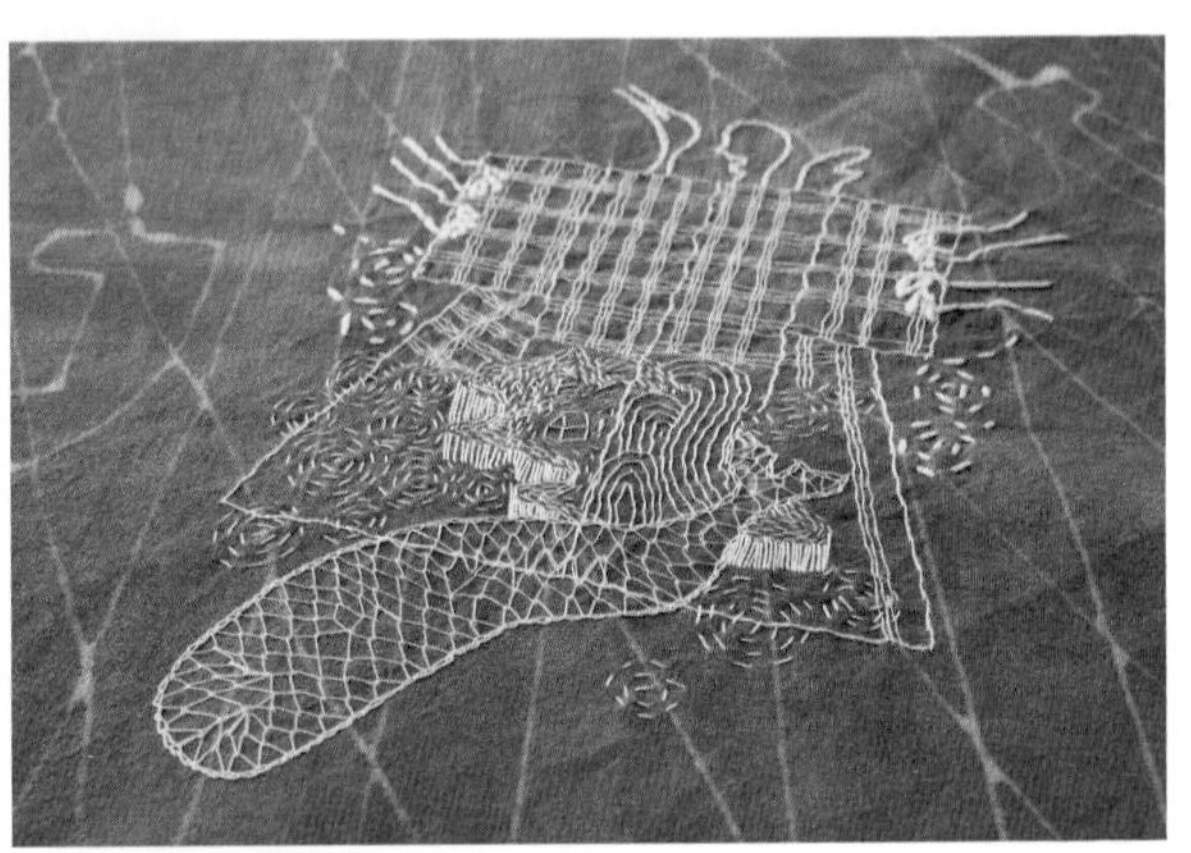

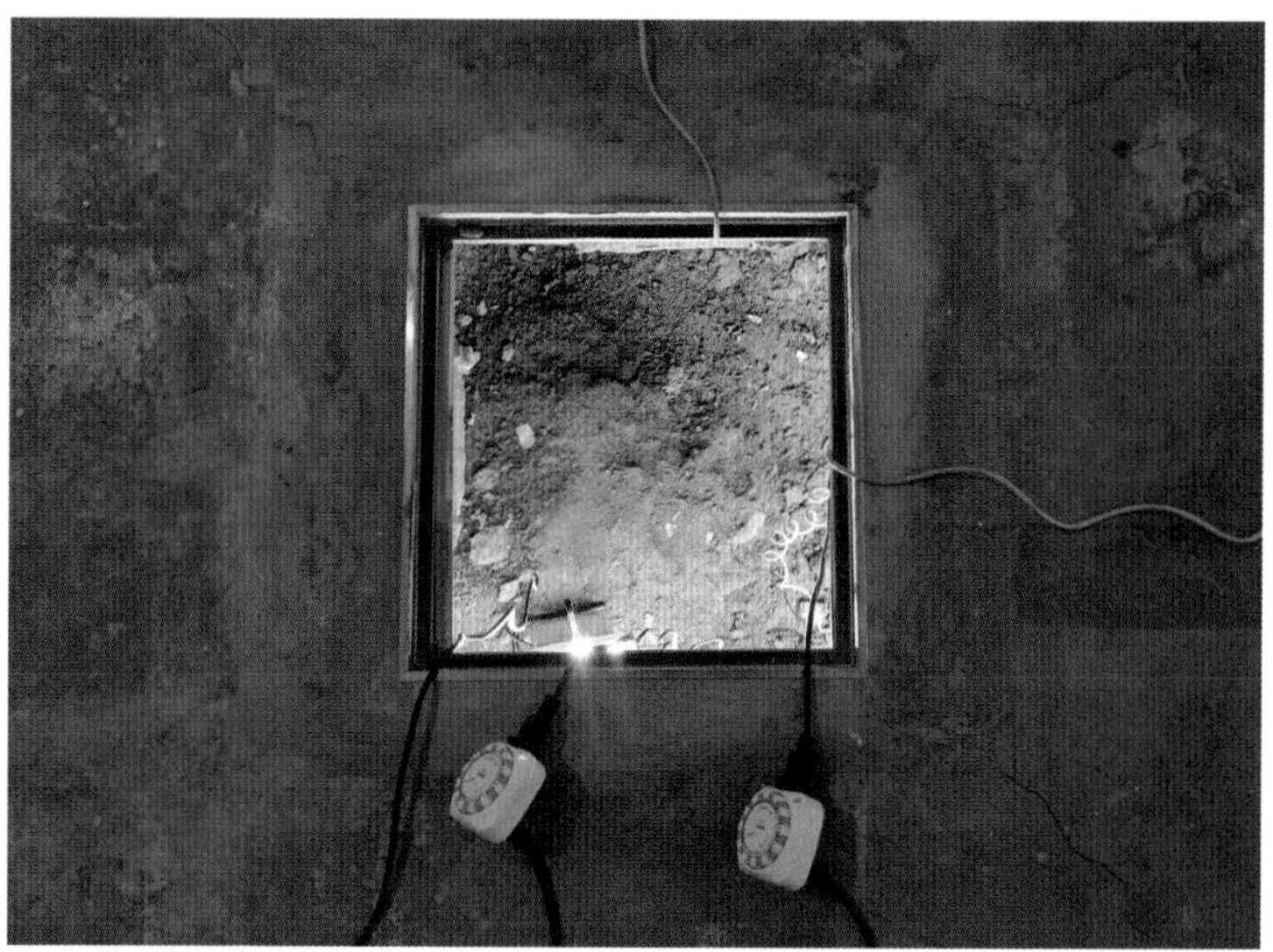

右上｜齋藤彰英、リサーチの記録写真より《多摩川上流（東京）》2020年
右下｜是恒さくら、原画刺繍《ありふれたくじら　Vol.5 神を食べる：唐桑半島》2018年、布・糸・藍・染料
左上｜進藤冬華《大地》2019年、映像、2分
左下｜高石晃《地底表面》2021–2022年、土・ライブヴューカメラ・モニター・LEDライト・ハロゲンランプ・タイマー

This contract is made to agree that the South China Sea ownership style is cooperative
BETWEEN:
South China Sea Cooperative Preparation Committee
AND
Forkonomy() Project Participants

In consideration of the South China Sea ownership and other valuable considerations, the Parties agree as follows:

1. The volume & price of the South China Sea contains in this agreement
   - 1.61___ TWD / mL
   - Include: The South China Sea International Waters area
2. Management method:
   - Participate the Co-op as a legal person: adopt the Equator Principles
   - Participate the Co-op as a natural person, adopt the relating ecological and economic responsibility of the South China Sea
3. Relating Profits:
   - Each member-owner of the South China Sea Cooperative Preparation Committee has the same weight of vote to manage it.

Signature of the Participant:

Date:

```
1 code='Contract'
2 ocean='NaiHai'
3
4 if [ $ocean=NaiHai ]; then
5   echo Queer $ocean
6   style=co-op
7 fi
8
9 init() {
10   if [ $style=co-op ]; then
11     echo $1 adopts the Equator Principles
12     echo $1 adopts the relating responsibility
13   fi
14 }
15 terms() {
16   follow='code conduct'
17   for buy in {1.61}; do
18   echo $buy /ml
19   done
20 }
21
22 echo get ocean
23 echo return ocean
24 terms followed
25 init co-owner
26 echo WHO?
27 read ocean
28 echo transaction with $ocean
29 echo `date`.now
```

擁有權形式：合作社共有制
合約甲方：南海合作社籌備委員會
合約乙方：參與者

就南海所有權相關事宜，協定契約條款如下，以資共同遵守：

1. 南海份量與標示
   - 1.61___ 新台幣 / 毫升
   - 包含：整體南海的公海領域
2. 管理方式
   - 作為公司進入合作社：遵守赤道原則
   - 作為個人進入合作社：遵守相關南海生態與經濟責任
3. 相關收益
   - 甲方共管

立書授權人
簽名：

日期：

右上｜鈴木昭男《日向ぼっこの空間》1988年
右下｜三原聡一郎《本日の空気》イタリア文化都市「Procida2022」でのパフォーマンス、プロチダ島テッラ・ムラータ、2022年　撮影：Alessia Della Ragione
左上｜大山龍《違和感／変化／状態》より発芽ホルモン入寒天（イベントで提供）、「Forking PiraGene」プロジェクト「Lab Kill Lab」、C-LAB（台北）、2020年
左下｜ツー＝トゥン・リー＋ウィニー・スーン「forkonomy( )」より、「Forking PiraGene」プロジェクト「Lab Kill Lab」、C-LAB（台北）、2020年

《光の対話場》2021年
純チタン板・鉄平石・白御影石、8000×2451×8mm、長野県茅野市、
構想・制作：N STUDIO,Inc.（新野圭二郎＋三宅祐介＋沼尾知哉） 撮影：NOJYO

Ecosophic Art

エコゾフィック・アート

自然・精神・社会をつなぐアート論

四方幸子
Yukiko Shikata

フィルムアート社

渦

水

地

力

電子

［凡例］

○括弧の使用規則は以下に従う。書籍名、雑誌名は『　』、展覧会名、プロジェクト名、シリーズ名、イベント名、映画タイトル、論文タイトルは「　」、美術作品名は《　》。

○本文中、人名の敬称は省略した。

カバー図版／エレナ・トゥタッチコワ《たねの季節（クレマチスガーデン、二〇二二年三月）》より

第2章挿画／エレナ・トゥタッチコワによる本書のための七つのドローイング「森」「生」「渦」「水」「地」「力」「電子」

はじめに

快晴の冬の朝。まばゆい太陽の光と温かさを浴びながら生きていると実感する、いや生かされていることに感謝する。何気ない一瞬も、さまざまな条件がないと成立しない。遡れば宇宙が生成し地球ができ、四十六億年の時間の中で生命が育まれ、ホモ・サピエンスが生まれ、技術を発達させ、文明そして文化が形成されてきた。たまたま生まれ育ち、そのような蓄積の上に生かされていること。太陽のエネルギーから元気をもらい、この原稿のように言葉に表すことさえ、それを可能にする数えきれない環境・歴史・科学・技術・人文的な裏付けがあるからこそ可能になっている。有難い、という気持ちは人間ならではのものであり、「生かされている」ことに感謝すること、それはさまざまな事象を享受し感応しながら、おのずと湧き出るエネルギーを発する能動性へとつながっていく。エネルギーは、循環し続ける。

私は世界を、さまざまな情報のフロー（流れ）、絡まり合い、循環するもの——そこには自身も含まれる——として捉えている。たとえば空気、水をはじめとする生態系、人間を含む動植物、土や石そして地層、言語、そしてデジタルデータなどである。つまり何かを見るとき、「モノ」や「かたち」ではなく、ミクロ・マクロの時間や空間における循環にある現在の「状態」として見るまなざしである。いわゆる「表象」ではなく、変容の「プロセス」として世界を見ている。そしてそれを捉える自分自身も、常に変容するものとして。

そのような世界観へシフトしたのは、一九九〇年代、メディアアートの黎明期にキュレーションに関わったときだった。当時登場したインタラクティブな作品は、デジタルであれ、体験者の動きや生体データであれ、情報として流れて伝達していくことで、リアルタイムな映像や音を含め空間が変容していくものだった。それが体験者にフィードバックされ、新たな動きや反応を生み出していく。そして実感した。メディアアートの重要な側面のひとつに、体験者が日常に戻ったときに、世界に存在するあらゆるものがインタラクティブにつながっていることを気づかせてくれる力があるのだと!

私たちはそれぞれが、生体・言語・社会・環境的な情報を入出力する情報のノード(結節点)であり、常にダイナミックに動いている。呼吸するだけでも、視線や指を微かに動かすだけでも、自身も世界も変化する。さまざまな情報が影響し合う世界は、今ここだけではない。空間そして時間的につながり影響を及ぼしていく。今ここでの世界の受容と行動が、未来へつながっていく。もちろん現在も、過去に起きたことの派生としてある。時間や空間はつながっており、人類が生まれる前、地球ひいては宇宙が生まれた時点から連綿として今がある。「世界」とは、今ここにあるだけではなく、むしろ過去や未来を含め、時間や空間でつながった総体として存在している。

また人間は、二重の存在である。宇宙の生成以降、とある時期に生まれ出た「自然の一部」でありながら、自然を対象化できるという、現時点においては生命体の中で唯一の存在である。近代以降、人間は科学・技術を駆使して後者、つまり自然の対象化に邁進してきた。それは自然だけでなく、人間さえも「モノ」として対象化し、支配する状況を生み出した。二一世紀に入り、地球規模の経済格差、環境汚染や気候変動の深刻化とともに、二〇二〇年には新型コロナウイルス感染症が猛威をふるい、ポストパンデミックの世界へと突入した。これらのことは、人間が行ってきたことや人間中心主義的な世界観に疑問を投げかけている。

「人間の対象化」は、しかし同時に人間が自身を世界とつながり生かされている存在として省察し、発見する可能性ともいえる。人類は何をしてきたのか。今生かされている人間が総体として、そして私たちそれぞれが何をしているのか、また何をしうるのか？　過去に生きた人々、未来に生まれる人々、あるいは過去や未来の動植物、生態系に対しては、物理的・直接的な行動はできないが、時間・空間を含め、すべては情報フローとしてつながっている。今生かされている私たちが、そのことに向き合い生きていくことで、健やかな世界へふみ出せればと思う。

コロナ禍において私は、一九八〇年代初頭に私がアートの世界に入るきっかけとなったドイツのアーティスト、ヨーゼフ・ボイス（一九二一－八六年）が提唱した「社会彫刻」[※1]や「人は誰もが芸術家である」という言葉の根底にある「変容（トランスフォーメーション）」という概念に再び向き合った。ボイスは「変容」を、とりわけ熱エネルギーの流動により生起するものとしているが、それが、私自身がメディアアートのキュレーションの中で培ってきた「情報フロー」という言葉とつながっていたことをあらためて認識することになった。そしてそのような認識の中から私は、これからの生涯を通して取り組むテーマとして「人間と非人間のためのエコゾフィーと平和」——人間だけでなく、人間以外の存在、動植物、鉱物や水や気象をはじめ世界に存在するさまざまなものや現象に加え、デジタル上の存在までを包含する「エコゾフィー」[※2]と平和——を設定した。アートから世界を見ること、世界を新たに発見すること。情報フローのただ中で、感受し動き続けること……。アートとともに生きる日常が訪れ、そして分野を超えてその土壌にアート的なものの見方や感受性が浸透していくことをめざして。

コロナ禍以降、この「生涯テーマ」を胸に発表してきた原稿に、いくつかの書き下ろしを加えたこの本が、新たな情報フローを生み出しますように。

※1　社会彫刻の「彫刻」は、ドイツ語でPlastikであり、可塑的なもの、変容に開かれたものを意味する。

※2　エコゾフィーは、エコロジーとフィロソフィーの合成語。フランスの精神分析家フェリックス・ガタリ（一九三二-一九九二年）が『三つのエコロジー』（一九八九年）で提唱した自然、精神、社会におけるエコロジー。詳細は第1章へ。

第1章

道標（みちしるべ）

思想の源流を遡る

エコゾフィーとアート

フェリックス・ガタリの「エコゾフィー」

本書冒頭の「はじめに」で、「情報のフロー」という世界観をメディアアートの黎明期に実感したと記したけれど、現在においてその領域は、のちに紹介する作家たちの作品と活動や、あるいは私の日々の生活の中にもさりげなく織り込まれている。ここではまず、「情報フロー」を過去へと遡ってみたい。それは、私にとっては抽象的なかたちで息づいていた。まず情報フローという考え方は、ヨーゼフ・ボイスが重視した「変容」、そしてフランスの精神分析家フェリックス・ガタリが晩年の一九八九年に著した『三つのエコロジー』で提起した「エコゾフィー」と関係がある。ボイスについてはあらためて述べるため、ここでは「エコゾフィー」を紹介した上で、そこからさらに遡るドゥルーズ＝ガタリの思想が、私が「情報フロー」へと至る大きな契機となったことを伝えたい。

「エコゾフィー」は、「エコロジー」と「フィロソフィー」を合体させたガタリによる言葉で、自然のエコロジーに加えて、社会そして精神におけるエコロジーを意味している。生態系を意味する「エコロジー」は、それ自体が動的なシステムといえる。この言葉を社会と精神へと拡張した「エコゾフィー」という概念に出会ったとき、情報の循環という観点からさまざまな事象を見ることで、領域を横断してしまう世界観に強く共感したことを覚えている。ガタリはこの本の最後の部分で、これらが「ひとつの共通の美的-倫理的な領域に属するもの、いわばひとつにつながりあったものとして構想されねばならない」と述べている。そして続けて、「三つのエコロジーの作用領域（レジスター）は私が異種発生性と名づけたもの、すなわち再特異化の持続的過程に依存する。諸個人は他者に対して連帯的であると同時に、他者とますます異なった存在にならねばならない」と記している。[※1] 特異性をもちながら連帯的、という個人のあり方は、デカルトの「コギト」に代表される近代における統一的主体としての自己を逸脱してしまっている。ガタリの言う「主観性」とは、自明の存在ではない。ガタリは同じ本の中で、「主観化のベクトルは必ずしも個人を経由するものでない」と述べているが、それは他者を含めた多数性、多様性の関係の中で立ちあがるものだと私は解釈している。このような思想と出会って以来、ガタリの「エコゾフィー」は、私の中で静かに息づいてきた。メディアアートに関わる中で、自然、社会、精神のエコロジーを更新させうる情報技術による、また情報技術への批評的介入を通して、創造的な循環（情報のフロー）に開くことをミッションとしながら。

ガタリは同書の「社会的エコロジー」において、「マスメディア時代の資本主義的社会をポストメディア時代にむけて移行させていくこと」を重視すると述べ、それを「メディアを再特異化の道にひきこんでいくことのできる多数の主体‐集団がメディアをあらためてわがものにするということ」と説明している。ガタリの死後、情報技術の進化によってメディアの様態が激変し、一方的なマスメディアから自律発信可能な「ポストメディア」へと移行したが、ガタリがめざした「メディアをわがものにする」は、インターネット黎明期にその萌芽が感じられたものの、現在その道は険しくなっている。今日に至るまで、メディアアートは重要な側面のひとつとしてポストメディアの可能性を追求してきたが、デジタル技術の強固化とそれを基盤とした経済が覆いつくす中で、自律的可能性がことごとく閉ざされていった。二一世紀への転換点において、大企業や政府というトップダウンの支配から逃れる「デジタル・コモンズ」の動きが開始されたが、二〇〇一年の米国同時多発テロ事件を契機にセキュリティが強化され、誰もが情報を発信できるもののログの管理・解析が進んだウェブWeb2.0を経て現在に至っており、企業や政府による情報管理・操作が進行している。履歴の透明化という新たな側面とともに二〇一〇年代に分散型台帳として登場したブロックチェーン技術は、投機のための使用に終始する現象を招き、本来の分散性という特性が発揮されていないように思われる。

ふり返れば、ガタリが『三つのエコロジー』を執筆したのは、グローバル経済やマスメディアが世界を席巻した一九八〇年代末で、エイズ危機、そして一九八六年のソ連・チェルノブイリ原子力発電所事故とともに、米ソ対立を中心とした第二次大戦後の体制が揺らぎつつある時期だった。本が刊行された一九八九年にはベルリンの壁が崩壊し、世界は大きく変動することになる。それ以降、新型コロナウイルス感染症が世界を席巻するまでの三十年間をひとつの時代とみなすなら、この間に科学・技術が飛躍的な進展を遂げ、とりわけインターネットの登場とその後の普及がデジタル化を推し進めて私たちの生活を大きく変容させた。と同時に環境汚染や社会格差が極めて深刻になっている。人間が環境に及ぼした影響は、二〇〇〇年に命名された「人新世」という地質年代によってすでに意識化されていたが、パンデミックが、人間を含む地球規模の危機意識を加速させたことはいうまでもないだろう。その危機とは、ガタリが構想した「エコゾフィー」から捉えるなら、自然、社会、精神のすべてに及ぶものである。その大きな要因のひとつとして、人間中心主義のもと直線的な成長をめざしていた時代への疑問が浮上したことで、人間も生態系の一部とする視点から世界を捉え直す契機となった。そして現在、コロナ禍とともに生きる時代において、私たちは過去三年間の経験をふまえて未来へと向かうフェーズに入ったように思う。

「エコゾフィー」の土壌

ガタリは一九八〇年代においていち早く「エコゾフィー」を提唱したが、この概念が生まれた土壌を私なりに挙げておきたい。ひとつはガタリが一九五〇年代より九二年に亡くなるまで、ラ・ボルド精神病院に分析医として勤務していたことである。「「ケア、研究、そして形成」が、病院の全体的な歩みの中でひとつになっている[※2]」ともいわれるこの病院は、患者が自分のできることを行って創造性を発揮できる仕組みを採用している。ガタリはここにおいて、診療や組織を改革しただけでなく、設立者である精神科医ジャン・ウリと理論的著作を執筆したという。

もうひとつ、ガタリと哲学者ジル・ドゥルーズが、一九六八年パリの五月革命の際に出会ったことも大きなできごとだった。以降二人は、「ドゥルーズ＝ガタリ」名義で一九七二年に刊行された『アンチ・オイディプス』をはじめとする大著を発表。領域横断的な思想が、哲学、思想そして科学に至るまでさまざまな分野に与えた影響は計り知れない。情動や身体、機械など、彼らが分析し提起した多様な概念や現象は、いずれも流動的――情報フロー的――な世界観に根ざしている。それらはとりわけ二〇世紀半ば以降の社会、精神、自然、そして身体にとっての、近代的規範には収まりきらない逸脱的運動を扱っている。

ドゥルーズ＝ガタリの「リゾーム」

一九八〇年代後半以降、『アンチ・オイディプス』を皮切りにドゥルーズ＝ガタリの大著が邦訳された。難解で広大すぎる彼らの思考の全貌を私は理解することはできないが、その方向性に共感しつつ、これまで自分なりに思考や実践の中で発展させてきた。中でも最初に出会った彼らの概念「リゾーム（根茎）」には、大きな影響を受けた。「情報フロー」という私の視点にとってもとりわけ重要なものであるので、ここでも取り上げておきたい。

「リゾームには始まりも終点もない、いつも中間、もののあいだ、存在のあいだ、間奏曲intermezzoなのだ。樹木は血統であるが、リゾームは同盟であり、もっぱら同盟に属する。樹木は動詞「である（エートル）」を押しつけるが、リゾームは接続し「と……と……と……」を生地としている［中略］中間で、中間から出発して、入ったり出たりするのであって、始めることも終えることもない」※3

この文章からは、「根茎」としてのリゾームは、実在する植物における、ツリー状でないネットワークを形成するものであることがイメージされる。それは土壌の成分――水分や微生物も含まれる――とつながり、それによって根を延ばし、地上に伸びる上部を支えるが、そこでは同種や異種の根茎との絡まり合いが起きている。それらはまた、物理・化学的に相互に反応し合う共生的な関係にあるだろう。リゾームは、脱中心的かつボトムアップな様態であり、存在自体が周囲の環境に開くことで成り立っている。概念としてのリゾームは、中間を意味するものでもある。それは物理的・抽象的世界の双方に存在し、ミクロ・マクロな時間・空間における中間として、異なるもの同士を媒介し接続するものといえる。そこでは情報のフローが起き続け、境界領域も移動し続ける。このような、始めも終わりもないまさに「リゾーム」状のプロセスを、私は一九九〇年代のメディアアートで実感することになる。[※4]

『千のプラトー』における「序――リゾーム」では、最後に以下の文がくる。「つまり、中間とは決して中庸ということではなく、逆に事物が速度を増す場所なのだ。事物のあいだとは、相互に一つのものから一つのものに及ぶ位置決定できる関係を指すのではなく、一つともう一つとを両方ともまき混んでいく垂直的方向、横断的運動を指すのだ。はじめも終わりもなく、両岸を侵食し、真ん中で速度を増す流れなのだ[※5]」

「中間」においては事物の速度が増す、両岸を侵食し、真ん中で速度を増す、ということ。それは、ものの間、関係性、境界という流動的なプロセスのただ中において、情報フローが活発化し、それ自体が一種自律的な流れや現象を起こし、ものとして生成されるような状態を想起させる。静止した状態や、既存の安定性から逸脱した何かが創発するような場が、リゾームそのものであるだろう。メディアアートを通して私は「リゾーム」を実感し、現在に至るまで世界自体をリゾームやリゾーム状の流れとして感知してきた。

メディアアートのキュレーション

メディアアートにおいては、制作活動のコラボレーションに加え、人々が広く参加可能なプラットフォームとしてのプロジェクトが一九九〇年代から展開されるようになった。たとえば私がキュレーションしたものに、山口情報芸術センター［YCAM］開館記念プロジェクトでのラファエル・ロサノ＝ヘメル《アモーダル・サスペンション――飛び交う光のメッセージ》（二〇〇三年）がある。[※6] また二一世紀になると、環境データや人間以外の生命体の情報を取り入れ、変化していく作品も登場し、人間だけが創造に関わったり、人間のためだけに創造されたりするものとは異なるプロジェクトが加わっていった。キュレーションした例に、デジタル技術の時代において「自然」を問い直す「オープン・ネイチャー――情報としての自然が開くもの」展（NTTインターコミュニケーション・センター［ICC］、二〇〇五年）、地球上のさまざまなデータをセンシングし、それを可視化することで人々の知覚認識を問い直そうとする「ミッションG——地球を知覚せよ！」展（二〇〇九－一〇年）などがある。二〇一〇年代には、自然放射線をリアルタイムで可視化・可聴化することで私たちと環境とのミクロかつマクロな関係性を投げかけた、カールステン・ニコライ＋マルコ・ペリハンによる《polar^{m}［ポーラーエム］》[※7]や、札幌の地下水脈や現代の情報環境における情報の流れ（ストリームズ）を感知（センシング）して可視化し、見えざる脈動を想起させる十一組の作家の作品で構成した「センシング・ストリームズ」（札幌国際芸術祭、二〇一四年）などがある。

共同創造においては、二〇一〇年代より、デジタルテクノロジーで作られた立体物のデジタルデータをフィジカルなものとして出力するＤＩＹも加わった。近年では、世代やジャンルを超えたコラボレーションやコミュニケーションが、共同創造をより活発なものにしている。少し遡るが、二〇〇〇年代半ばに、モバイル技術を装備したバスで、日独のアーティストが市街を移動しながら、プロジェクトやコラボレーションを展開する「モブラボ——日独メディア・キャンプ２００５」を企画・監修した。このプロジェクトでは、各地のメディアセンターや教育機関、美術館や芸術祭から協力を得て、展示、トーク、ワークショップ、ライブを三週間にわたって行い、その会期中に生成したデータ（画像、音、テキスト、プログラム、バスのＧＰＳデータなど）を、未来の共同創造に向けて「オープンデータ」としてクリエイティブ・コモンズライセンスの条件下で公開した。このようなメディアアートの活動において通

ラファエル・ロサノ＝ヘメル《アモーダル・サスペンション——飛びかう光のメッセージ》2003年、山口情報芸術センター[YCAM]

「ミッションG——地球を知覚せよ！」展、NTTインターコミュニケーション・センター[ICC]、2009–10年

底するのは、「情報フロー」という世界観であり、私の現在の生涯テーマや活動のベースになっている。

人間と非人間のためのエコゾフィーと平和

人間と非人間のための「エコゾフィー」と「平和」においては、これまで人間中心的に捉えられてきたこれら二つの概念をそれぞれ、人間以外の存在——デジタルを含む生態系全般——へと延長することをめざしている。また「平和」については、この言葉が現代において形骸化し、現実的なものとみなされていないと感じており、あらためてその可能性に光を当てたいと願っている。

現在の「平和」は、第二次世界大戦での甚大な被害や悲惨な歴史をふまえ戦後に設立された国際連合を中心にしたもので、国家という単位が基盤になって語られることが多い。それはカントが『永遠平和のために』で一七九五年に提唱した「国民主権の国家」に由来する。しかし現代においては、「国民主権の国家」による平和が困難になっている。科学・技術の発達や社会の変化、グローバル企業による経済支配を含め、世界情勢は、国家を超えて入り組んだ様相を呈するからである。また国連が成立した後も、地球上で戦争が途絶えたことはなく、

カールステン・ニコライ＋マルコ・ペリハン《polar^{m}［ポーラーエム］》2010–11年、山口情報芸術センター[YCAM]

「モブラボ――日独メディア・キャンプ2005」2005年、「日本におけるドイツ2005/2006」
主催：MobLab実行委員会主催＋ドイツ文化センター

いずれの国家にも支配層と非支配層があり、後者が戦争に駆り出される図式は変わらない。

戦争は、そもそも人間によって起こされるものであり、人々を殺傷し、土地を破壊し、人々の記憶や遺産を破壊する。人々が受ける傷やトラウマは計り知れない。人間だけではない。動植物を殺傷し、生態系を破壊し、環境汚染を引き起こす。すでに現代の戦争においては、土地や人、経済、文化の領有化に加え、生体内や宇宙へ、そしてデジタル空間にも領土化が伸長されている。いずれも大航海時代以降の植民地主義の延長であるが、現代においては支配層と被支配層の関係は非対称的で複雑であり、それはアルゴリズムによっていっそう増幅されている。現代の戦争は、日常を含め、可視・不可視のあらゆる場所で行われているといえるだろう。アルゴリズムによって増幅された支配／被支配の複雑な構造はまた、すでに私たちの意識や行動にも埋め込まれている。そしてその結果として、責任の回避、思考停止やアパシーが横行している。いわゆる「ドメスティケーション（家畜化・従属化）」という事態である。

ジョルジュ・バタイユを取り上げるまでもなく、欲望は人間の根源的なものである。本能的な欲望の中でもとりわけ「所有」への欲望が格差を生み出し、その格差が増幅されてやまないのが現在だろう。そのような時代において、「平和」とはいかにして可能なのだろうか。これまでの国家間を前提とした戦争観においても、単純に「戦争反対」というだけでは太刀打ちできそうにない。しかしながら人間は、欲望すると同時に、自らや物事について省察することができる。また誰もが善悪の両面をもち、複数のアイデンティティをもっている。それゆえ、場合によってはマイノリティにもマジョリティにもなりうる。自分が被害者になることも、加害者になることもありうる。ならば、そのようなハイブリッドな存在であるという前提で生き、世界に向き合うことはできないだろうか。その自覚は、戦争だけではなく、日常において日々生起するさまざまな軋轢や争いにもつながっていきそうだ。

欲望も戦いも、エネルギーの出力であり交換である。そこでは常に、「誰が」「誰に対して」「何のために」が問われている。偏ったパワーバランスや一方的な支配ではなく、フラットに多様性を認めつつ、よりよい社会や生活のために駆動される欲望や戦いこそが、必要とされている。アートの現場であれディスカッションであれ、異化や異論が続出する。多様な見方や意見は、それをオープンな場に開くことで、創造的なアイデアやビジョンを生み出す可能性をもつ。しかし現代においては、人々の格差を利用し強化するヴェクトルの欲望や戦争が支配的となっている。絶望的に思えるほどに。そしてそれは、人間中心主義的な世界観に基づいている。「人間と非人間のためのエコゾフィーと平和」は、非人間的な存在を包摂し、リゾームのような分散型ネットワークを自然、社会、精神の間に循環させる欲望であり、戦いであるともいえる。そのめざす先では、創造物や知識、アイデアが共有され、新たな創造を生み出す共同創造の終わらない循環が始まることだろう。

精神的エコゾフィーの実行方法について、ガタリは『三つのエコロジー』で、「《心理学(プシ)》の専門家の方法よりも、一般に芸術家のとる方法にはるかに近いものとなるだろう」と述べている。現代は、自然、社会、精神的なものへの抑圧がかつてないほど強くなっている。そのような中で、「人間と非人間におけるエコゾフィーと平和」のための活動を通して、アートをあらゆる領域をつなぐ土壌の中に浸透させていきたいと思う。

※1　フェリックス・ガタリ『三つのエコロジー』杉村昌昭訳、大村書店、一九九一年。

※2　Wikipedia「ラ・ボルド病院」https://ja.wikipedia.org/wiki/ラ・ボルド病院（二〇二三年二月九日閲覧）。

※3　ジル・ドゥルーズ＋フェリックス・ガタリ『千のプラトー』宇野邦一・小沢秋広・田中敏彦・豊崎光一・宮林寛・守中高明訳、河出書房新社、一九九四年、「序——リゾーム」より（原書は一九八〇年刊行）。

※4　初期のメディアアートの例としては、ドイツのウルリーケ・ガブリエルによるインタラクティブ作品《BREATH》（一九九二年）がある。体験者が自らの呼吸データによってリアルタイムで変化

するCGに対面することで、意識・無意識的に変容する呼吸がCGをさらに変容させていく、生体と環境をつなぐフィードバック・ループを実現させた。共同キュレーターを務めていたキヤノン・アートラボの第一回プロスペクト展にて展示（東長寺講堂P3、一九九五年）。

※5　ジル・ドゥルーズ＋フェリックス・ガタリ、前掲書。

※6　ラファエル・ロサノ＝ヘメル《アモーダル・サスペンション——飛びかう光のメッセージ》（山口情報芸術センター周辺屋外＋インターネット、二〇〇三年一一月一－二十四日）では、国内外の人々によるショート・メッセージが光の点滅に変換され、センター周囲に設置された二十本のサーチライトの点滅へと変換され、誰もがそれらをキャッチして読むことができた（光を自動的に文字変換）。人々が自由に参加可能なプラットフォームとしてのプロジェクトといえる。

※7　十年前の「polar」（キヤノン・アートラボ、二〇〇〇年）と同じアーティストおよびキュレーター（阿部一直、四方幸子）で実現した。展覧会終了翌月に、東日本大震災、津波に伴う東京電力福島第一原子力発電所の事故が起き、膨大な人工放射線が環境に放出された。

※8　作品には、公共空間の環境データを取得し、その変化に応じて二十メートルの壁面に七十二日間、ドローイングが自動的に描かれる菅野創／yang02（やんツー）による《セミセンスレス・ドローイング・モジュールズ（SSDM）》や、坂本龍一＋真鍋大度《センシング・ストリームズ　不可視、不可聴》、露口啓二《Map of Water SAPPORO/FUKUSHIMA》などがある。

未来へと接続されるボイス

流動性から社会彫刻へ

そもそも私が現在このような仕事をしているのは、一九八二年にヨーゼフ・ボイスの存在を知ったことによる。一九八二年にボイス関係の雑誌『Joseph Beuys Magazine』の編集を手伝い始め、オランダ人のライター、ラウリン・ウェイヤースとコンタクトをとり、彼女の記事を和訳している。[※1] 一九八四年にボイスが個展（西武美術館）で来日した際は本人と実際に会い、一九八六年二月にはボイスのリサーチでドイツに渡った。出発前月にボイスは亡くなってしまったが、現地デュッセルドルフでアーティストのインゴ・ギュンターやナムジュン・パイクなど、彼のことをよく知る多くの関係者と交流することができた。以来、私は「ボイスの現在形」を社会や科学技術との関係から問いながら、アートの可能性を探索してきた。ヨーゼフ・ボイスは、二〇世紀を生きたアーティストであった。第二次世界大戦を体験したのち芸術を学び、二〇世紀後半に、社会、教育、政治、経済、環境などにおける諸問題を敏感に感知し、自らの歴史・文化的背景や身体性を拠り所に、社会との対話を精力的に試みた。

ボイスが提示した多岐にわたる作品やインスタレーション、アクション、社会・政治的活動は、既存の芸術概念や社会通念を超えるものであり、共感と拒否感両極の反応とともにしばしば（なかば確信犯的に）スキャンダルを巻き起こした。作品に加え、独自の出で立ちや言動でカリスマ的存在となったが、それは自己を対象化するユーモアと壮絶なパッションに裏づけられていた。彼の理念や言動は、ゲーテ、シラー、ノヴァーリスやシュタイナーを根幹に、神話や神秘学、生物学、宗教学などに根ざしているが、近代化により排除されてきた世界観も多く含まれている。ボイスは、人間以外の存在（動植物や自然全般）とのコミュニケーションを促し、同時に遊牧民やシャーマン、仏教などを念頭に、東洋とつながる「ユーラシア（ヨーロッパ＋アジア）」構想にまで至っていた。ボイスが現在、当時を知らない世代にも受容され始めているのは、彼が提起していた問題が、各人そして地球全体の生存に関わるほど身近で深刻なものとなったからではないだろうか。その活動を貫く重要な要素として、「流動性」——物質／非物質的な熱やエネルギー、波動などさまざまな情報のフローや関係性——と、それにより起きる変容が挙げられる。「生と死」「物質と精神」「熱と冷」「直観と理性」「カオスと結晶」「中心と周縁」「ユーラシア」……。ボイスが扱うものは、二元論的対立ではなく、循環する情報フローのパラメータに応じた諸様態といえる。それはプロセスから形態が生まれるとするゲーテの自然科学の延長にあり、現在なら、複雑系科学やフェリックス・ガタリの「カオスモーズ」へと接続することもできるだろう。

対立的とみなされるものの相互循環は、ボイスをおのずと「芸術と社会」へと向かわせた。「社会彫刻」「拡張された芸術概念」「人は誰もが芸術家である」「芸術＝資本」などのメッセージを通して、芸術を広く社会に浸透させること、つまり各人が日々の生活や仕事のなかで創造力を発現させていくことをボイスは提唱していった。それは政治、経済、教育、環境などあらゆる領域が「芸術」を媒介につながる社会であり、芸術は、貨幣経済に代わる「資本」とみなされた。

一九八四年の来日

ボイスは一九八〇年代以降、美術館での展覧会から、人々との討論や社会・環境的活動へと重心を移していった。心臓発作を経験し「時間がない」と言い過去の招聘を二度もキャンセルしながら、東京の西武美術館での個展のため来日したのは、死の一年半前である。決断の理由は、一九八二年のドクメンタ7で開始し、五年後のドクメンタ8で完了をめざしていた大規模プロジェクト《七千本のオーク》へのセゾングループからの資金援助であった。ボイスは八日間の来日を果たしたが、「ユーラシア」の彼方にありながら、バブル経済に邁進していた当時の日本では、熱狂と違和感の入り混じった反応となった。それでもボイスは、容赦なく人々に理念を訴え続けた。ボイスに同行しテープレコーダーで記録し続けたラウリン・ウェイヤースは、来日中の発言がかつてないほど濃密なものであったとのちに語っていた。

美術評論家の山本和弘は、現在におけるボイスの意義について、来日当時をふり返りながら以下のように記している。「一九八四年の東京でJ・ボイスは「自己決定」の重要性を私たちに力説した。それはいま不寛容の世界でかつてないほど抑圧されており、その回復を実現する芸術が希求されている。この「芸術」とは「自由」と同義であり、畢竟、政治とも同義なのだから[※2]」

ヨーゼフ・ボイス《7000本のオーク》1982–87年

ボイスが東京藝術大学での対話集会で、期待外れの質問にも丁寧に応答しつつ黒板に描いたダイアグラムに、ドイツ語で「自己決定=創造性=自由=芸術[2]」と記したことが思い出される。バブル経済に沸いていた当時とは真逆の状況にある現在の日本では、山本が指摘するように、「芸術」が未来の社会を開く可能性となりうるのではないか。ボイスはウェイヤースに、「(社会彫刻という)理念は、二一世紀という環境が重視される時代において、ようやく実を結ぶだろう」と語ったという。死を間近に感じつつ、日本の聴衆に投げかけたボイスのメッセージは、今まさに私たちに染み入るはずである。

生誕百年のボイスへの再評価

ボイスが五月十二日に生誕百年を迎えた二〇二一年、ドイツでは雑誌の表紙を飾り、国内を筆頭にヨーロッパ、日本を含む世界中で数多くの催しが企画された。「ボイスは今、先見的なアーティストとみなされている」と、幼少時からボイスとさまざまな機会に接し影響を受けたドイツ・デュッセルドルフのアーティスト、ミシャ・クバルは語る。[※3]「社会問題を提起し政治討論で変容させるボイスのアイデアは、今また新しく新鮮。私の参加型プロジェクトは、彼の芸術と社会に関する理念に触発されている」。また、ボイスの思想とともに生き、二〇二一年に八十歳を迎えたウェイヤースは、「人は誰もが芸術家である」「創造力こそが真

の資本」をはじめとするボイスの理念が、今まさに必要とされていると述べている。※4

ボイスがこの世を去って以降、世界は大きく変化した。人間が世界のあらゆるものを搾取し同時に人間までも搾取していた世界が臨界点に達し、人間以外の存在——動植物や鉱物など、地球上そして地球外のあらゆる存在——と相互浸透するコミュニケーションを開くことが重要になっている。ボイスは近代を否定しなかった。むしろ近代を経て人間が自由を獲得した上で、次の世界へ進むことを構想していた。現在私たちは、とりわけモノや空間、群衆を基盤とした近代のシステムがデジタル化により変更を余儀なくされる事態を経験している。それは近代を基盤にしつつ、人類史においては非常に短いこの時期が排除してきた古代から前近代までの叡智を還流させ、新たに融合していくチャンスでもあるだろう。

ボイスは「人類学的芸術（Anthropological Art）」という言葉を使用していた。「人間が創造的になることで推進されうる社会彫刻」と言い換えうると思われるが、と同時にボイスは人間を、動植物など人間以外のさまざまな存在とのコミュニケーションによって形成されるものとみなしており、そこに二一世紀に開花し始めた新たな芸術——デジタル／アナログにかかわらず、非人間との協働によって生まれる、ひいては非人間のための——の可能性を見ることができる。それは、近年活発に研究されているポスト人新世、ポストパンデミックの時代における脱人間主義的哲学や人類学につながるように思われる。

技術革新と社会彫刻

ボイスの没後、一九九〇年代に社会に登場したインターネットは、当初注目された贈与経済的モデルから、今世紀には人々の日常の言動を無意識的に支配するモデルへと移行していった。私たちは、使用する情報システムが企業や公共セクターへの依存を強めることによって、実質デジタル監視的な状況に置かれている。ＡＩや先端医療技術における近年の進展が、社会の格差を増幅させている一面もある。近年急速に普及し始めた仮想通貨は、分散型のブロックチェーンを背景にするものの、貨幣経済の延長と化している。いずれも、ボイスの唱えた「自由」「創造力」「経済」からほど遠い状況に見える。

今世紀以降、最先端の生命科学、宇宙科学の進展とともに、「人間」「生命」「知性」の科学による解明や応用の限界を倫理・哲学的側面から検討する必要がいっそう出てきた。そのような時代において、科学を広く社会に開き議論を促していくオープンサイエンスの方向が重要となっている。加えて人知の限界、つまり現状の科学で実証できる範囲を超えたものや、「実証する」「真理を突き止める」こと自体の不可能性に目を向ける重要性に私たちは気づき始めている。それはまた、「直観」「想像力」という数値で計測できず反復されえないもの、解

1984年6月1日、西武美術館でのヨーゼフ・ボイス展オープニング・レセプションにて。左より、ヨーゼフ・ボイス、筆者、ラウリン・ウェイヤース　Courtesy of Louwrien Wijers

シンポジウム「アート・ミーツ・サイエンス・アンド・スピリチュアリティ・イン・ア・チェンジング・エコノミー（AmSSE）」（アムステルダム市立美術館、1990年9月10–14日）より、初日のパネル1の様子。左より、スタニスラフ・メンシコフ（経済）、ロバート・ラウシェンバーグ（アート）、ブライアン・レッドヘッド（司会）デヴィッド・ボーム（科学）、ダライ・ラマ14世（宗教）
撮影：Ton Hendriks　Courtesy of Foundation ASSET

ヨーゼフ・ボイス《カプリ・バッテリー》
1985年、所蔵：国立国際美術館
撮影：福永一夫　© VG BILD-KUNST, Bonn & JASPAR, Tokyo, 2023 G3159

明できないもの――不確定なもの――を許容することにもつながる。

現在、デジタルテクノロジーの使用においても社会で新たな兆しが生まれつつある。その先進的事例として挙げられるのが台湾である。一九九〇年代に民主化とインターネットの普及を同時に体験した台湾では、二一世紀以降、人々のためのテクノロジーを掲げた活動を、プログラマー、ハッカーを中心とするシビックテック・コミュニティが推進してきた。二〇一六年にデジタル担当大臣に就任したオードリー・タンもその代表的な推進者のひとりであり、人々と政府との相互信頼に基づくシビックテックを基盤としたシステム構築や政策の成果のひとつが、世界でも注目されたコロナ対策の成功である。デジタルという二一世紀のインフラを人々の自律や創造性のために活用する実践は、社会彫刻の延長といえるだろう。

日本では近年、経済学者の宇沢弘文が晩年に推進した「社会的共通資本」という概念が注目されている。宇沢は、各人が生存のために保障される社会的共通資本として自然環境、社会インフラ、制度資本（教育、医療など）を挙げている。創造的な社会に向かうには、他者や社会への信頼、そして何より「愛」が必要となるだろう。ボイスは、東京での講演でこう述べている。「創造力の最高の産物は、意志から発する愛です。［中略］意志と感情と、そして、その上に建設された思考、この愛こそが現在一番重要なものだと私は確信しています」[※5]

「ユーラシア」を推進しようとしたボイスが一九八二年秋に面会を果たしたダライ・ラマ十四

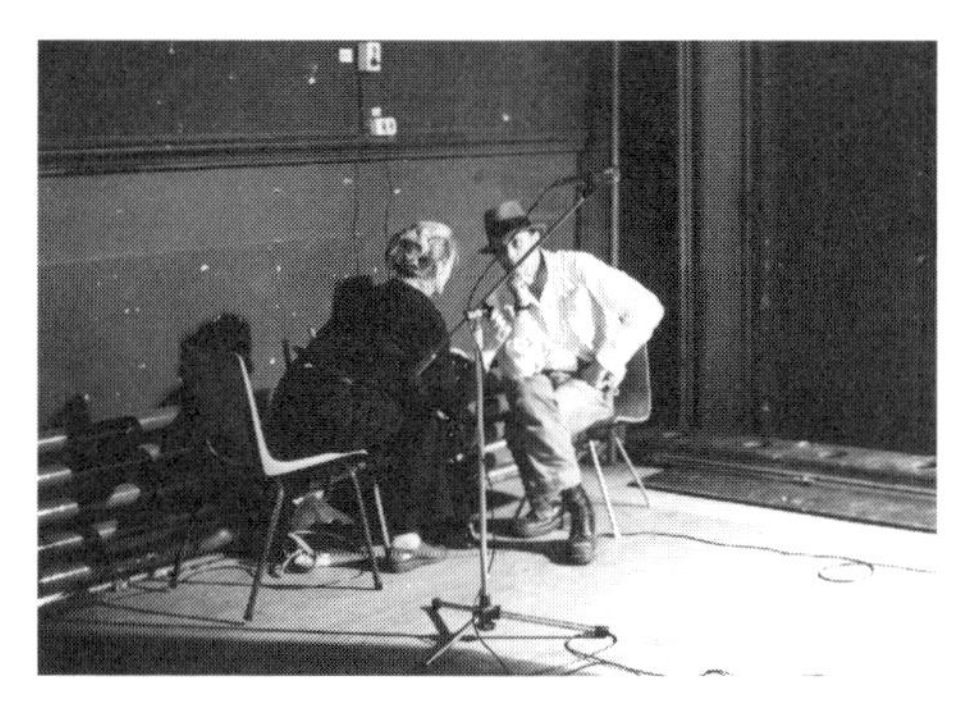

1978年、オランダのアーネムで行われた「Behaviour Workshop Festival」でのパフォーマンスの合間に。ヨーゼフ・ボイスとラウリン・ウェイヤース
撮影：Cathrien van Ommen

1982年のラウリン・ウェイヤース。ボイスとの対面に向けて、ダライ・ラマと3度目の面会を果たす
撮影：Jan-Paul Kool

1982年10月27日、西ドイツのボンでボイスとダライ・ラマの対面が実現した
Courtesy of Louwrien Wijers

世は、ボイスの没後ウェイヤースが中心となり実現されたシンポジウム「アート・ミーツ・サイエンス・アンド・スピリチュアリティ・イン・ア・チェンジング・エコノミー（AmSSE）」において、こう述べている。「愛は進化のための基礎となるものです。そして愛は、私たちの未来のための根拠なのです」[※6]

ボイスの遺作のひとつとなった《カプリ・バッテリー》。愛は、接続されたレモンと電球から、未来への光として放たれている。

ラウリン・ウェイヤースの「精神彫刻」

ウェイヤースは、一九六八年からボイスに何度もインタビューし、同時に彼の親しい友人でもあった。前述のシンポジウムが開催される六年前に彼女が執筆し私が和訳した記事「よりよい世界をめざして」[※7]には、ボイスに加えて彼女がアンディ・ウォーホルやダライ・ラマに行ったインタビューが含まれており、一見異なる世界にいるカリスマ的存在がつながっていることに驚いた覚えがある。

一九七八年、インタビュー後のボイスから、「ウォーホルにも同じ質問をしてみたら」との提案を受け、彼女は一九八〇年にウォーホルと面会する。すると、ウォーホルは彼女に「ダライ・ラマに会うといい」と伝え、今度は一九八一年に、インドのダーラムサラでダライ・ラマと会った。彼女がダライ・ラマにボイスの活動について話すと、「そのドイツのアーティストと自分は同じ考えだ。兄弟のように感じる」と言ったという。そのことをボイスに伝えると、彼は「ユーラシア」を推進するためにダライ・ラマと「恒常的な協力」を結ぶことを願い、ウェイヤースは二人の出会いを調整することになった。

ボイスはダライ・ラマに、《七千本のオーク》での協働を打診した。ドクメンタ7が開幕した一九八二年六月にカッセルに招待したが実現せず、同年十月二十七日に二人の一度限りの面会が、西ドイツのボンで実現した。一九八六年一月、ボイスの訃報を聞いたダライ・ラマは、目に涙を見せたという。そして翌年、七本のオークを購入している。

運命の糸に導かれるようにして、ウェイヤースは、ボイスからウォーホル、そしてダライ・ラマへとつなげられ、ダライ・ラマとボイスをつなぎ、二〇世紀を代表する三人の円環が生まれた。米国の大量消費社会の申し子のように見えるウォーホル、世界的に活動するチベットの高僧、そして「社会彫刻」を掲げるボイス

ラウリン・ウェイヤース（2021年3月30日）
撮影：Egon Hanfstingl

は、それぞれ異なるアングルからよりよい未来を志向していたカリスマたちであり、運命の糸はこの三人を結びつけたのだ。

一九九〇年九月にウェイヤースは、彼女が「精神彫刻（メンタル・スカルプチュア）」と位置づけるシンポジウム「AmSSE」（アムステルダム市立美術館）を実現する。アーティストではジョン・ケージ、ロバート・ラウシェンバーグ、ローレンス・ウェイナー、マリナ・アブラモヴィッチらが、また科学者ではデイヴィッド・ボーム、イリヤ・プリゴジン、フリッチョフ・カプラ、フランシスコ・ヴァレラらが集い、宗教家のダライ・ラマらや、経済学者スタニスラフ・メンシコフらも加わって、そうそうたる面々が来たるべきホリスティック（Holistic）な世界の可能性について五日間にわたり話し合った。AmSSEは、ボイスに加え、アーティストのロベール・フィリウ（このシンポジウムの発案者の一人で、ボイスとダライ・ラマとの面会に尽力した人物）にも捧げられていた。

ウェイヤースは二〇一二年、オランダのフリースラントに移住し、自身の活動を「精神彫刻」と呼びながら、今も作品制作や執筆を行っている。彼女の活動の根幹には、ボイスの精神、そしてAmSSEにも登壇した経済学者スタニスラフ・メンシコフが提唱した「思いやりのある経済」がある。二〇一一年以降は、ウェイヤースのパートナーでマクロビオティックの料理人エゴン・ハンフシュティングルと食に関わるプロジェクトを展開し、二〇一八年には、ボイスに関わったさまざまな人々による百日にわたる対話プロジェクト「100 Day Beuys」を開催した。

いつも笑顔をたやさないウェイヤースは、媒介者（メディエーター）として人々をつなぎ、創造力を喚起し続けてきた。彼女がボイスをデュッセルドルフに訪ねる度、その場のドイツ的なシリアスな空気感が瞬時にほぐれて穏やかな雰囲気に変わったという。そんな彼女に、私はボイスからと同様、多大なる影響を受けている。コロナ禍によって世界が大きな転換期に入った二〇二〇年からは、オンラインで折に触れて彼女との対話を続けている。

ボイスの「社会彫刻」は、物質と非物質を超えてエネルギーが循環する流動的世界観に依っていた。ウェイヤースの「精神彫刻」は、人間に限らない多様な存在における精神の流動性を促すものである。そして私が一方で注目するガタリの「エコゾフィー」も、彼らの世界観と共振する。その上で私が志向するのは、デジタルを介して情報のフローを未来へ拡張することなのだ。

人が誰でも創造的に生きることができ、それによって社会のさまざまな格差がほぐされていき、地球環境（おのずと地球外も含まれる）がサステナブルに循環していく世界――。そのためには、先に引用したボイスの言葉（P44参照）のように、何よりも「愛」が求められると思う。私たちが、生きてここにいることだけでも、広義の愛の賜物である。その素晴らしさを感じつつ、他者やさまざまな存在に愛というエネルギーを注いでいくこと。そこから私たちの新しい未来が始まる。

※1　『Joseph Beuys Magazine』2、えるまあなカンパニー、一九八四年。
※2　二〇二一年四月二日付筆者宛メールより。
※3　二〇二一年三月二十四日付筆者宛メールより。
※4　二〇二一年四月三日付筆者宛メールより。
※5　レクチャー「芸術と社会」（朝日ホール、一九八四年五月三十日）より。
※6　シンポジウム「アート・ミーツ・アンド・スピリチュアリティ・イン・ア・チェンジング・エコノミー（AmSSE）」（アムステルダム市立美術館、一九九〇年九月）パネルIでの発言より。
※7　※1と同じ。

第2章

フィールドへ

エコゾフィック・アート論

森

エコゾフィーの森へ

二〇二〇年三月　WE ARE HERE AWAKE AND ALIVE

「あと少しで頂上、見晴らしがいいですよ」。二〇二〇年二月、米国サンノゼ近郊の森の中にあるモンタルボ・アートセンターに滞在したときのこと。散歩の延長で山の中のトレイルを歩き、そろそろ降りようと道を尋ねた私に女性が励ましてくれた言葉をばねに頂上へ向かうことにした。光が射し込む鬱蒼とした森の小径には、ときおり「THE BEAUTIFUL MOMENT」などのメッセージが立っていて、ふと足を停める。頂上にさしかかる手前で出会ったものには、「YOU ARE HERE AWAKE AND ALIVE」という文字が。「ここに到ってあなたは目覚め、生きていることを実感する」――その言葉に鼓舞されて急な坂を登り切ると、目の前にシリコンバレーが広がった。ちなみにこの森の中のメッセージは、サンフランシスコのアーティスト、スーザン・オマレーによるものである。

「あなたの言葉でここまで来ることができました。ありがとう！」。先ほどの女性がいたので、お礼を伝える。「あれが、アップルのUFO（クパチーノの新本社Apple Park）」と教えてくれた彼女と景色を楽しんだのち、昼前の暑い日差しの中、大自然とシリコンバレーをしばし独り占めした。数多くの最先端企業が生まれ、本社を構えるシリコンバレー。リスや鹿に遭遇する豊かな自然と、グローバルに人々がつながる情報ネットワークとの共存。全世界で共有されていく新たなリアリティがここから生まれていると実感する。

この地を訪れた目的は、キオ・グリフィス、港千尋とともに一九六〇年代に活躍したアート集団DYNATONをリサーチするためだった。到着したのは、新型コロナウイルス感染症が日本でも深刻になり始めた二〇二〇年二月二十五日だった。滞在中にカリフォルニアでも感染が拡大し、三月の第一週以降、美術館や大学などが次々と閉鎖し始め、滞在先のレジデンスも急遽、三月十六日で閉鎖することが決定した。そのことが伝えられた三月十二日の夜、滞在中のアーティストやセンターの担当者たち十人余りが集まり炭焼きピザを囲んだディナーで、孤立した森の中、きらめく星空を見上げながらこれまで体験したことのない状況を共有した経験は忘れられない。

真の「二一世紀」が始まる

その一年後。地球全体で、私たちの生活や社会は大きく変わってしまった。近代というシステムは、都市への集中や、特定の機能をもつ大規模な空間を整備することで、群衆を前提とした社会や経済、文化を形成してきた。そこではモノや空間など、アナログベースの所有や管理が前提とされていた。しかしポストパンデミックの世界では、デジタルをベースとした情報共有やコミュニケーションが中心的なリアリティとなっていった。

しかしそのようなデジタルベースのリアリティは、すでに二〇〇〇年前後にあらわれていた。一九九〇年代半ば以降のインターネットの普及を経て、九〇年代末以降注目されたプログラマーやハッカーによるオープンソースやデジタル・コモンズの実践が、デジタルを基盤とする来たるべき社会、とりわけ贈与や共有をベースにした新たな創造の可能性を推進していた。二〇〇一年オードリー・タンと私が接点をもったオンライン・プロジェクト「Kingdom of Piracy」もその系譜の中にある。[※1]

スーザン・オマレー《A HEALING WALK》。2012年に期間限定で設置された作品を、モンタルボ・アートセンターが2018年に恒久設置。出典：同センターウェブページ（https://blog.montalvoarts.org/a-healing-walk.html）　©Montalvo Arts Center

眼下に広がる大自然とシリコンバレー　筆者撮影

それから約二十年を経た現在、ようやく真の「二一世紀」が訪れつつあるような気がしている。人間の意図や予測を超えたパンデミックが現実になったことで、近代的に確立されたモノや空間をベースにしたシステムの多くが継続困難となり、見直しを迫られた。経済の停滞、生き方や働き方の再編成……、コロナ禍以降、社会は「ニューノーマル」を掲げながら、試行錯誤とともに対応や運営に明け暮れた。加速し続けていた資本主義が減速したことで、各人が自分や世界にとって何が重要かを問い直し、ウェルビーイングを求め始めるまたとない機会ともなった。同時にここ数年とりわけ顕在化してきていた社会の非対称性（経済、人種、ジェンダーなど）がより鮮明になり、抑圧されていた人々が、情報の透明化を求めて声を上げ始めた。それはまた、人間同士だけでなく、人間と自然環境との非対称性（ここでは人間が行ってきた環境汚染や破壊を意味する）と、そこから深刻化した地球温暖化や気候変動に向き合うことにもつながるはずである。

今後も社会が以前のようなあり方に戻ることはないだろう。私たちは、社会だけでなく人類史、ひいては地球・宇宙史的な大転換期にいるように思われる。それほどのマクロな時間や空間のスケールで世界を捉えることが、まさに今私たちに与えられたミッションであり、希望への兆しなのではないだろうか。またミクロなスケールで世界を見ることも重要になっている。新型コロナウイルスは、人間による環境や生態系の破壊が原因ともいわれる。それ以外でも、細胞や微生物などミクロなレベルで世界を見ると、人間中心的な善悪に回収できない「コミュニケーション」としてのさまざまな関係性が浮上してくる。人間の身体も、複数の微生物の集合や寄生によって成立している。もはや個体としての人間像や自己や意志という概念が、リアリティのひとつでしかないことに気づかされるのだ。

ポスト新人世へのメタモルフォーゼ

そのような観点は、今世紀になって定義された「人新世（アントロポセン）」という地質年代にもあらわれている。「人新世」は、一九五〇年代以降、広義では産業革命以降の都市化・工業化の時代において、地球が長い年月をかけて形成してきた自然資源を大量に採掘・加工・消費・廃棄することで、地球規模で取り返しのつかない汚染を及ぼした時代を意味する。私たちは、パンデミックという試練に押されながら、「ポスト人新世」へと真剣に進む時期に入ったのではないだろうか。たとえば蛹（さなぎ）が、メタモルフォーゼを経て蝶になるように。自然、社会、そして自身の生態系（これらは相互につながっている）と向き合うことで、近代のシステムから不要なものを捨て去り、同時に近代化の過程で排除されてきたもの（近代以前の文化や精神性）を見直していくこと。未来は、近代的な人間像（白人男性中心）から多様な人々へ、そして人間以外の可視・不可視を超えた森羅万象（動植物、自然の事物や環境）との共生を前提としたものになっていくように思う。

とはいえ社会が次のフェーズへ変わるためには、多くの痛みを伴う……実際、社会のさまざまなところで問題が吹き出ている。特に経済的な側面で、社会的に弱い立場に置かれた人々が厳しい状況にさらされている。これら非対称の痛みまでをも、社会において共有される「コモンズ」と認識し、ともに分かち合い引き受けることが、まさに必要となっている。[※2] 人が人に対して行ってきた搾取が及ぼした負荷に加えて、自然全般に対しても、誰もが当事者として目を向け（関係のない人間はいない、世界はつながっている）、サステナブルな社会や環境へと舵を切ること。科学技術の発達によって、さまざまな環境や社会のデータを取得・解析・可視化し共有できる現在、個人や組織の連携やネットワーク化によって、より迅速な対応が可能な条件は整っている。

エコゾフィック・アート

第1章で触れた、フランスの哲学者で精神分析家のフェリックス・ガタリが晩年の著作『三つのエコロジー』で提起した「エコゾフィー」は、エコロジーを自然環境だけでなく社会と精神に延長されるものとして先見的に位置づけている。この概念は、私の世界観に大きな影響をもたらした。とりわけ二〇一一年の東日本大震災以降は、三つのエコロジーに加えて、これらを包摂しながら相互につなぎ循環させていくものとしてデジタルのエコロジーを想定し、現在は環境のエコロジーの中に新たに人間が接合したり、社会と精神のエコロジーの中に自然が接合していくハイブリッド的なイメージを抱き始めている。そして、ポストパンデミック、ポスト人新世の時代における「来るべきエコロジー」の可能性を発見、検討し、「エコゾフィー的な未来」を構想していくワーク・イン・プログレスにおいて唯一無二のインフラになりうるとみなしているもの、それがアートなのである。「芸術作品との出会いというできごと」について、ガタリはこう述べている。

> 実在の流れに不可逆的なかたちで新しい区切りをつけ、日常性という「均衡のとれた世界」からかけ離れた可能性の領野を触発的に生みだすのです。——フェリックス・ガタリ[※3]

エコゾフィー的な未来においてアートは、このような異化的・批評的な役割に加えて、狭義の「美術」という閉ざされた領域から抜け出て、社会の諸領域（科学・技術、政治、経済、社会、教育など）の深層に、地下水脈のように浸潤していくことになるだろう。実はアートは、近代以前、脈々とそのようなものとしてあった。そしてこれから私たちが、そして地球全体が健やかで幸せになるために、二一世紀に新たなかたちでアートの地下水脈を社会の諸領域に再接合させなくてはならないのだ。

近代以降に確立された美術という分野は、その存在意義によって一定の領域を維持し続ける。並行して、そこからのスピンオフや、既存の美術から排除されてきた広範囲の表現が、洞窟壁画にまで遡るアートの根源性・遍在性へと還流し、新たな関係を結ぶことで、人々を豊かで創造的な存在へと変えていくだろう。それこそが、批評と直観力、覚醒と生が相互循環しながら創造性が創発されうる「エコゾフィック・アート」であると現時点でよんでみる。エコゾフィック・アートは、「エコゾフィー」から私が導き出した言葉で、自然、社会、精神のエコロジーをアートで包摂していく領域である。

WE ARE HERE AWAKE AND ALIVE ――冒頭の山歩きで出会ったメッセージを、「私たち」と読みかえてみる。「私たちはここで、ともに目覚め生きている」。日々刻々とそのような意識や体験に開かれていく、生（せい／なま）の感受性を目指して。

二〇二三年二月　世界を現象として捉えるまなざし

この本を手にしたあなたは、表紙にある不思議な花から挨拶されただろうか？　花のように見えるが実はこれはクレマチスの種で、白く細い種をピンクの芯と緑のガクから放射状に広げて回転するかのようである。早春の光の中、白と緑を背景に、はにかみながら微笑んで見える。場所はヴァンジ彫刻庭園美術館――クレマチスガーデンの庭の片隅にひっそりとたたずんでいた。撮影したのは、京都を拠点とするエレナ・トゥタッチコワである。[※4]

光を含め、広大な庭の中での幸福な出会い、切り取られた一期一会。その場に居合わせなくても、自然のたゆたいとしばし戯れる。私はそこから、情報フローを感じ取る。富士山の溶岩が凝固してできた起伏の多い大地とその成分。地形を整備して作られた美術館と庭。美術館のある丘の名にもなったクレマチスは、刻々と変化する気温や湿度、光や風に応じて二度と同じ顔を見せることがない。世界は常に変化し続け、とどまることを知らない。人、動植物、水、気象、データなど、あらゆるものを情報のフローという側面から捉えると、アート、自然・社会科学など諸領域を横断する関係性が見えてくる。世界を固定した「モノ」ではなく動的な「現象」とみなし、「何を」ではなく「いかに」から関わっていくと、世界の豊かな営みに気づいていく。

歩くこととドローイング

ささやかな祝福に満ちたこの写真を撮影したエレナ・トゥタッチコワと出会ったのは、九年ほど前、北海道の知床だった。北方圏の歴史や文化のリサーチをしていた私と、当時学生で知床やその土地に生きる人々との出会いに恵まれ、その後何度も通い滞在することになる彼女は、折に触れ対話を重ねてきた。トゥタッチコワは、異なる季節に知床の浜辺や道、森をくり返し歩きながら、出会う事物に耳を傾けてきた。そこでは歩くという行為から、動的に思考が織り成されていく体験をしたという。土や水、植物、動物、人間などあらゆる存在が、それぞれの言語で土地の物語を表現している、とトゥタッチコワは言う。そのような「状況と自由に戯れる」ことで生み出される作品は、写真、映像、テキスト、手描きの地図やドローイングなど多岐にわたり、しばしばインスタレーションとして展開される。知床のみならずさまざまな土地での歩くイベントの開催や音楽家とのコラボレーション、コロナ禍以降はセラミックの作品にも取り組むが、一貫して自身の中に言語や物語という側面が立ち現れるプロセスを重視している。作品を通して私たちは、歩行と思考、自然と人工、知覚できるものとできないものに触れ、ひいてはその彼方を想像し始めることになる。

社会人類学者のティム・インゴルドは、『ラインズ』において、パウル・クレーが自分のペースで自由に進行するラインを「散歩にでかける」と呼んだと紹介している。[※5] インゴルドは同書において、「散歩にでかけるラインのように、生においても物語においても、いつのときも、さらに進んでいく場所がある。［中略］知が統合されるのは、場所から場所——話題から話題——への運動のさなかなのだ」と書いている。[※6] トゥタッチコワにとって、歩くことそれ自体がラインを描くことであり、ドローイングのプロセスといえないか。

笑顔が素敵なトゥタッチコワは、陽だまりのような暖かさに満ちている。キュレーターとしても何度か関わったが、[※7] 彼女が大切にしている作品となる前のプロセス——自然や街の中を歩くことや人々との対話——は、呼吸や身体性を伴った日常の営みであると同時に、広義の文学や詩のような側面さえ感じさせる。既存の芸術分野の境界をおのずと乗り超えてしまう活動は、名づけえない創造の可能域を生み出してやまない。

エコゾフィーとしての「プレイグラウンド」

二〇二三年二月、京都のとある一角を訪れた。住宅が並ぶ通りを折れ、狭い路地を入ったところにある家屋は、入口から奥まったところに広い空間が開けている。作業や生活、遊びの場として使われるこの場所は、かつて染物工場だった。ここで、トゥタッチコワの企画による「プレイグラウンド──庭のあそび」と称した展示とイベントが週末ごとに三回、計六日間開かれた。アーティストはトゥタッチコワを含め八名で、蓮沼執太や岡田理など大人の作家が五名、そして十歳前後の子どもたち三名が参加している。年齢やジャンル、住む地域を異にする面々による絵画やオブジェ、セラミック、映像、写真、ドローイング、そしてコラボレーション作品がゆったりと伸びやかに点在し、その一部は周辺を探索して生み出されたものであるという。また「プレイグラウンド」は会期中、イベントや作品が追加され育ってもいく。初日の蓮沼執太によるパフォーマンスでは、出展した子どもたちも廃品や手作りの楽器を演奏し、まさにプレイグラウンド（遊びの場）が出現した。

トゥタッチコワは、「一本のまっすぐではない線から始まり、不思議な庭が見えてくる」と述べている。[※8] それはまさに、彼女が知床を歩くことから感得し開いてきた、地域や環境との新たな関係であり、世界の生成の延長にある。何度も歩くことで手描きによる自身の地図が徐々に形成されていくように、一本の線が次の線を呼び、さまざまな線が出会い絡まり合うことでドローイングや絵画、セラミック作品が形成されていく。環境や人々との往還の記憶から生み出される作品は、個人名義であってもその内部にポリフォニックなものを含んで

エレナ・トゥタッチコワ《ひつじの時刻、北風、晴れ #30》2015年、発色現像方式印画、83×100cm

エレナ・トゥタッチコワ《ひつじの時刻、北風、晴れ #49》2018年、発色現像方式印画、83×100cm

エレナ・トゥタッチコワ、知床：地図とドローイングと言葉とそのほかの資料、2015–21年

エレナ・トゥタッチコワがキュレーションを行った「プレイグラウンド——庭のあそび」展示風景、2023年。京都の元町工場「プレイグラウンド」を会場に、アーティストと子どもたちの作品が一緒に展示されている

いる。それと同様に「プレイグラウンド」では、複数のアーティストの作品や行為によって「庭」が生み出されていく。このような創発の背後には、まさにリゾーム状の情報フローがうごめいている。

遊んでいるそのとき、庭は世界であり、世界はわたしたちの庭だ。

——エレナ・トゥタッチコワ[※9]

「プレイグラウンド」では、訪れた誰もが「わたしたち」としてこの庭を共有し、遊ぶことができる。フェリックス・ガタリが医師を務めたラ・ボルト精神病院は、ソローニュの森の中の古い城館にあり、入院者とそうでない者、生活と創作、森と病院などの境界が取り払われていた。「プレイグラウンド」では、制作と生活、街とアートスペースの境界が行き来可能なものとなっている。ここに私はアートがもたらすエコゾフィーの萌芽があると感じる。

※1 「Kingdom of Piracy」（共同キュレーター：シュー・リー・チェン、アルミン・メドッシュ、四方幸子、二〇〇二-〇六年）。二一世紀以降のデジタル・コモンズの可能性を探求するオンライン・プロジェクト、台湾で開始され、オーストリア、オランダ、英国、日本、米国など各地で新たな作品や展示を追加しながら展開した。

※2 コモンズは、「共有地・共有財・共有物」などの意味をもつが、ここでは「痛み」「苦しみ」「喜び」などという精神的な側面も共有しうるのではないか、という意味を込めている。

※3 フェリックス・ガタリ『三つのエコロジー』杉村昌昭訳、大村書店、一九九一年。

※4 二〇二二年に静岡県長泉町のクレマチスの丘にあるヴァンジ彫刻庭園美術館の庭で、開館二十周年記念展のための滞在制作中に撮影された。トゥタッチコワは、モスクワでクラシック音楽や日本文学を学んだ後に東京藝術大学で修士と博士課程を修了。チャイコフスキー記念モスクワ国立音楽院付属中央音楽学校（一九九二-二〇〇三年）、ロシア国立人文大学東洋文化・古典古代学部（二〇〇五-一一年）卒。

※5 Paul Klee, *Notebooks, Vol. 1: The Thinking Eye*, ed. J. Spiller, trans. R. Manheim, London: Lund Humphries, 1961. ティム・インゴルドの著書は、『ラインズ――線の文化史』（工藤晋訳、左右社、二〇一四年、原書は二〇〇七年）。

※6 ティム・インゴルド、前掲書。

※7 「茨城県北芸術祭２０１６」に招聘。また上村洋一＋エレナ・トゥタッチコワ「Land and Beyond――大地の声をたどる」展（POLA MUSEUM ANNEX、二〇二一年）のキュレーションを担当した。

※8 「プレイグラウンド――庭のあそび」フライヤーより引用。

※9 同右。

富士山から山々をめぐる

富士山は、日本を代表する山として人々の深層に息づいている。精神的な拠り所といってもいい。私も富士山を見ると嬉しくなる一人である。とはいえ、「もし噴火や地震で今の形が変わったら、日本人の精神性やアイデンティティに与える影響は計り知れないだろう」とふと思う。そうなってほしくない、と願いながらも、現状の形が地球史的には束の間のものだと知っている。とりわけ日本のように四つのプレートがせめぎ合う火山帯では。

普段私たちは、山並みなどの風景を今あるイメージで把握しがちで、変化しているとみなすことはほとんどない。人間の生とは異なる壮大なタイムスケールにあるからだ。反対に、ミクロなレベルでも刻々と変化しているが、人間の知覚・認識や社会機能に影響をもたらすような状況にならない限り見過ごされている。十年ほど前、札幌市博物館活動センター学芸員の古澤仁から、「山々などの形態は、災害の痕跡です」と言われて目から鱗だったことを思い出す。人間中心主義から離れて、自然のダイナミックな営みを想像することが、私たちにますます必要になっている。

富士山は、フォッサマグナ[※1]のエリアにあり、百〜七十万年前の海底火山によって生まれたという。糸魚川の新潟焼山や八ヶ岳などを含む火山列にある山のひとつで、過去に数百回の噴火、数回の山体崩落があったとされる。約一万一千年前には古富士が火を噴き、新富士火山活動期（〜縄文時代中期の五千年前頃）へと移行し現在の形状に至っている。その後も、文献に残るものだけでも七八一年（『続日本紀』に記載）以降、一七〇七年の宝永の大噴火まで噴火数は十数回に上るという。写真では、火口がしっかり塞がっているが、いつ噴火してもおかしくない。富士山は、今後いつどのようになっていくのだろうか……。長い地球史の中で出会った現在の形を愛でつつ、過去から未来に連綿と続くエネルギーの変容態として、そして周囲の山並みと連続した存在として富士山を捉えてみる。

富士山。2021年11月28日に筆者が機内から撮影。西南日本と東北日本をかつて分断していたフォッサマグナのラインを俯瞰しながら、地上に生きている人々や動植物、モノなどさまざまな存在に想いを馳せた

マウンテンメディア

「日本一高い」富士山だが、私が知る限り、かつては二つの意味でそうではなかった。ひとつは自然面で、二十万年前には古阿弥陀岳（八ヶ岳）の方が高かったという。もうひとつは政治面で、一八九五年から一九四五年までは台湾の「新高山（にいたかやま）」（現 玉山（ぎょくざん）、標高：三千九百五十二メートル）が日本最高峰だった（余談だが、日本が太平洋戦争を開始した真珠湾攻撃の際の暗号電報が、「新高山登レ１２０８」である）。

富士山に最高峰を譲った古阿弥陀岳の麓（長野県茅野市）に一般社団法人ダイアローグプレイス（代表理事：新野圭二郎）が開設した「対話と創造の森」（Ｐ３３７参照）では、「マウンテンメディア」がパワーワードとなっている。八ヶ岳の懐の自然信仰を基にした精神性が息づくこの地に位置していること、山をメディアとみなすこと、そして山から社会や地球の未来に向けて「公共創造」を発信していきたいという願いが、この言葉に込められている。

「マウンテンメディア」の命名者は、SoundCloud（二〇〇七年〜）の設立者エリック・ウォールフォースで、新野とエリックは、二〇〇〇年代初頭にベルリンで知り合った友人である。「対話と創造の森」の構想を新野が伝えた際、エリックから即座にエコー（山びこ）が返ってきたという。「それはマウンテンメディアだ！」と。

「マウンテンメディア」は新野にとって、火山に由来する自然豊かな八ヶ岳のエネルギーの意味でもあるだろう。加えて長年詣でる奈良県桜井市の大神（おおみわ）神社の御神体が山（三輪山）であることからも着想を得ているという。神社や仏閣は、大木や石、山などを御神体としているが、人間が聖性を感じる自然や事物がまず存在する。それらが人為を超えた深遠な時間や空間に由来するエネルギーを発している（と人間は感じ取る）のだ。中でも山は、スケールの壮大さに加え、動植物を含む複合的な生態系としてさまざまないのちを擁している。そして山は単体としてではなく、連なる「山々」として存在する。山は、地殻変動で皺が寄るように隆起したもので、谷や尾根を含む連なりそのもの、つまり複数性としてあるのだ。八ヶ岳の「八」は、数字ではなく「多くの」という意味をもつという。八ヶ岳は実際、連なっている。「マウンテンメディア」は、そのような山々の生態系と連なりを念頭に、よりよい未来をめざして発信されつつある。

「対話と創造の森」では、アーティストの山川冬樹、大小島真木らを招聘し作品制作を進めている。山川が二〇二一年秋にこの森を訪れたとき、最初に試みたのが火山性の古阿弥陀岳が山体崩落して以来ほぼ人の手が加わっていない急傾斜をもつ森――木々に加えて磐座（いわくら）がいくつも鎮座する――とその下を流れる清流、傍らの崖にある大きな裂け目や穴など、深い森にひっそりと息づく自然との対話だった。一方で大小島は、二〇一四年に茅野のコレクター宅に《山の子に問いかけられる》という絵と壁画を設置、同名のアニメーションも制作したという。アニメでは、山が生きた存在として「私は山だ。私の前に立つあなたは誰か？　あなたの中に山はあるか？……」と見る側に問いかける。山とは森羅万象であり、魑魅魍魎（ちみもうりょう）の住む世界でもあるだろう。大小島は、私たちの深層にある自然を呼び起こそうとする。

山々は、生きている。大きな生態系を抱合しながら、連なる生き物として。日本において山々は、修験道に代表される山岳信仰やマタギ文化などを生み出してきた。山川や大小島をはじめ、アーティストにとっても、山々は尽きることのない神秘と創造の源泉としてある。

山から山へ「オオカミの護符」を携えて

諏訪を調べる中で、諏訪出身の編集者から、作家で映画プロデューサーの小倉美恵子[※2]のことを聞いた。ユニークな人材や企業を多く輩出する諏訪地域、その背景としての自然、信仰や精神文化を掘り下げた小倉の著書『諏訪式。』が素晴らしく、映画には諏訪を題材とする新作「ものがたりをめぐる物語」がある。その前に書かれた『オオカミの護符』にも、いたく感銘を受けた（「オオカミの護符」は、先に映画として制作された）。

小倉が生まれ育ったのは、多摩川下流に位置する川崎市の土橋地区（現宮前区土橋）。都市開発で新興住宅地に様変わりした中、自宅に貼られていた「オオカミの護符」を調べるうちに、地域の人々に昔から受け継がれてきた御嶽講（みたけこう）[※3]を通した山岳信仰や、多摩川流域の人のつながりへと導かれていく。東京都、埼玉・群馬・長野・山梨の四県を抱く関東山地南部は、オオカミ（ヤマイヌ）を御神体とする信仰・文化圏を形成していた。そして近代までは山々が信仰の中心であり、人々はそこから流れる川でつながっていた。小倉は、同書において、「「お山」という言葉には、単に山岳を指すのではなく、「山の世界」、すなわち自分たちを生かしめてくれる「命の根源」そのものへの思いがこもっている」と書いている。[※4]小倉はまた、「「山」は文化の発信源」というくだりでこのように書いている。「秩父に通うようになって、土橋をはじめ多摩丘陵の地に伝えられる伝承や文物の多くは、どうやら山の世界からもたらされていると気づいた[※5]」

さらに小倉は、縄文にまで遡るとされる「オオカミ信仰」を代表例としつつ、中世に広がった青石塔婆（あおいしとうば）「板碑」や近世の「ささら」（三匹獅子舞）、若者が熱狂した芸能の数々があると続け、「それらの伝播を考えると、山から里へ降りてくる恩師や修験者の存在が浮かび上がってくる。［中略］「すべての街道は山に通ず」といっても過言ではないほどに、山は流通ルートとして大きな役割を果たしていたのであろう。［中略］「山」は、信仰の場として山の神のもとに人々が集い、日常の規範や関係性から解かれ、治外法権とも呼べる「無礼講」が許された世界でもあったことがうかがえる。山は人を惹きつけて止まぬ場所であったのだ」と結ぶ。また、オオカミ（ヤマイヌ）信仰と山岳信仰の交差を述べ、「国家権力が及ばない場所。それが山岳信仰の地なのだった」と書いている。深山幽谷の地だからこそ、人間社会のルールが及ばず、自然の強さが人を敬虔かつ自由な気持ちにさせるのだろう。そしてオオカミは、この地の自然と神性を象徴する存在としてある。先述の山川冬樹が二〇二一年十月に諏訪・八ケ岳の視察をしたとき、まず尋ねたのは、この地がオオカミ信仰かどうか、だった。山川は、車に秩父の三峯（みつみね）神社のステッカーを貼っているが、この神社はオオカミ信仰の中心のひとつで、『オオカミの護符』にも登場する。諏訪・八ヶ岳はオオカミ信仰圏ではないのだが、秩父や東京、神奈川、山梨などとフォッサマグナのエリア、そして縄文文化圏でつながっているように思われる。

オオカミを祀る神社へ

二〇二二年一月二日、埼玉県秩父市から山梨県境に向かう深い山中、荒川上流域にある三峯神社に詣でた。秩父から三峯神社へ向かう道中に、神庭（かにわ）洞窟がある。縄文土器、古墳時代の壺、奈良・平安時代の須恵器などが出土し、特に縄文草創期（一万二千年前）の石器や隆起線文土器は、日本最古の土器群のひとつとされる。荒川水系もあり、いい場所だったのだろう。私がリサーチしている諏訪・八ヶ岳地域と連なる山梨県や武蔵野に通じる縄文の流れでもあり、フォッサマグナでつながる広大な自然圏、そして縄文や旧石器時代以降の広域文化圏としても興味深い。人の移動によって物が流通し、自然信仰や技術、手法などが諏訪から伝播していったことが、各地の道具や土器からうかがえる。※6

三峯神社は千九百年ほど前、日本武尊（やまとたけるのみこと）が東国平定後、今の山梨市から奥秩父の山々を越えて三峰山に登り、伊弉諾尊（いざなぎのみこと）・伊弉冉尊（いざなみのみこと）を祀ったのが起源とされる。日本武尊が奥秩父の原生林に迷いこんだ際、オオカミが道案内をしたという。遥拝殿の右奥にある崖沿いの細い雪道をおそるおそる歩きたどり着いた祠（ほこら）、二ツ宮は、古い山神信仰に由来するという。秩父市街から隔絶し、険しい山や崖、谷を超えた高地にあるこの神社は、修験道の場でもある。長い時代の変遷の中、土着信仰や山岳信仰、神道や仏教などさまざまなものが層のように重なりながらも、全体で凛とした佇まいを見せている。

長瀞（ながとろ）では宝登山（ほどさん）神社にも詣で、三峯神社に続き、オオカミの護符を入手した。東京の水を源流から東京港まで多面的にリサーチをするオープン・ウォーター実行委員会の視察で、長瀞には三年前の春に訪れたが、そのときは地層に焦点を当てていたので、今回初の参拝となった。

荒川源流の峡谷に広がる岩畳が有名な長瀞は、「日本地質学発祥の地」とされ、フォッサマグナを発見したナウマン博士も訪れたという。長野県の諏訪湖で糸魚川－静岡構造線と交差する中央構造線が、ここにも走っている。地層は主に、秩父帯、四万十帯、三波川変成帯で構成される。そのためか、高台にある宝登山神社でも、宝登山を含む山々の地脈や水脈のエネルギーが感じられる。秩父神社は、初詣の列が長くて詣でることができなかったが、秩父市街では、この地を代表する山、武甲山の険しく勇壮な存在感に感動を覚えた。と同時に、容赦なくえぐられた石灰岩の山腹があまりにも痛々しく……。

山々は人類の歴史の中で、長年聖域としてあった。しかし近代以降、観測、登山、観光、大規模採掘など人間に消費されるモノや場とされてしまった。自然破壊や環境汚染が取り返しのつかないほどになった人新世の現在、私たちは、かつて山が育み連綿と下流域にもたらしていた自然の恵みや、そこで育まれた精神文化を見直す時期にあるように思う。

山梨の丸石1　道祖神リプレゼンテーション

御岳山は多摩川上流に位置する。それらの南西に広がるのが、笛吹川の上流となる甲州（山

三峯神社　筆者撮影（他３点も）

三峯神社のオオカミの護符

宝登山神社

宝登山神社のオオカミの護符

梨県）である。二〇二一年秋、この地でアーティスト深澤孝史が展開する「道祖神リプレゼンテーション」プロジェクト[※7]に特別調査員として参加した。深澤は、人に潜在する能力や知られざる地域の側面を現地の人々と調べる中で、思いもよらぬ展開を創発させてきた。私は、札幌国際芸術祭2014で「とくいの銀行　札幌」[※8]を、茨城県北芸術祭2016で「常陸佐竹市」[※9]をキュレーションしたが、いずれも大きな変化を地域にもたらしただけでなく、個人的にもアートと社会との融合をこれまでにないかたちで実感する忘れられない体験となった。

その彼が、生まれ育った山梨で、民間信仰の道祖神（どうそじん）や丸石神（まるいしがみ）にまつわるフィールドワークをもとに行うプロジェクト「道祖神リプレゼンテーション」は、それだけで特別な意味を帯びている。まずは「道祖神芸術調査グループ」の調査員が公募され、特別調査員として中沢新一（丸石神や道祖神の民俗調査をライフワークとした中沢厚を父にもつ）、野沢なつみ（中沢新一秘書で山梨県の丸石神のフィールドワークの経験豊富）、丸石を晩年に調査した石子順造の研究者でもある本阿弥清（都市環境デザイナー、美術評論家）、そして私が招聘された。

私はとりわけ3・11以降、民俗学、考古学のリサーチも進めてきたが、実は大学時代に民俗学研究会に所属し、山梨県内のフィールドワーク（口承文芸を担当）を行ったことがあり、今回、めぐりめぐってアートとしてフィールドワークに参加する機会を喜んだ。調査員の顔ぶれは、民俗学、考古学、丸石研究、建築、写真、ダンス、ファッション、編集など多岐に渡り、それぞれ探究心と知見にあふれている。
「道祖神リプレゼンテーション」の展示は十一月十六日から十二月十二日、場所は、山梨県立美術館（設計：前川國男）に隣接する広大な「北池」で行われた。この池は、かつては噴水があり水がたたえられていたが、二〇一一年三月十一日の東日本大震災で被災以来、涸れたままになっているという。また展示に先んじて十月に行った二日間の合同フィールドワークでは、山梨市や甲斐市の住宅地や神社、北杜市の神社や遺跡で数多くの丸石をはじめとする道祖神、そして石たちに出会うとともに、山梨県立博物館での特別レクチャー、北杜市考古資料館見学などもあり、濃密で驚きに満ちた時間となった。

　フィールドワークの中で、山梨の笛吹川流域に集中して見られる丸石を道祖神として祀る文化や、日常の風景に丸石が溶け込んでいる様子（漬物石など機能的なもの、無造作に置かれているものも含め、深澤が「石神未満（いしがみみまん）」と呼ぶ丸石）などが見えてきた。丸石が、人々の精神性や文化を培ってきたともいえる。本阿弥特別調査員からは、石子順造が甲州の丸石道祖神に出会ってから、丸石を造形表現の究極の形と感じていたとうかがった。確かに人為的な具象ではなく、丸石の形態や存在そのものから、時間や空間を超えた普遍性が感じられる。またフィールドワーク二日目、私は深澤の育った地域にある松尾神社（甲斐市）を訪れた後、とある家（神澤邸）にてさりげなく佇む丸石を見初め、「My丸石」と命名した！（P83の写真）北杜市では、鳥居も神殿もなく、積み上げただけの自然石が存在感を放つ白旗(しらはた)神社で、石の周辺を力強く踏むと太鼓の音がするということで、みんなで響きを体験した。

最後に訪れた同市の金生(きんせい)遺跡は、縄文時代の石廃棄場で、石棒や丸石を含む配石遺構が広がっている。この地は、八ケ岳を挟んで長野県富士見町や原村と縄文中期やミシャグジ信仰[※10]の文化圏を共有している。

山梨の丸石2　いしのまつりば

北池を再視察すると、コンクリートの地と石がむき出しの状況が、調査員たちの中で金生遺跡と重なって見えてきた。その観点をもとに、「道祖神リプレゼンテーション」では、北池を「いしのまつりば」へと変貌させた。山梨ならではの丸石信仰を背景に、外から「いい感じ」(深澤)の石を持ってきて祀る「道祖神場(どうそじんば)」をはじめ、「盃状穴場(はいじょうけつば)」「石神未満」の三つの遊び場として北池を人々に開き、丸石神の写真展なども行われた。最終日には、ドキュメント映像の上映や中沢新一オンライン講演会、ダンサーで調査員のひとりでもある鈴木つなたちによる北池でのパフォーマンスも行われた。

会期中に「道祖神しんぶん」が四号発行され、私は「丸石問答」(柳田国男の『石神問答』ならぬ）というタイトルで、Ｍｙ丸石との出会いとその石をめぐる不思議なできごとや、持ち主の神澤夫妻への聞き取りで構成した短文（前後編）を執筆した。Ｍｙ丸石は「いしのまつりば」に借り出されたが、「屋敷神（やしきがみ）」の位置づけではない（つまり「石神未満」）ので移動できたという。

中沢新一は、講演で「道祖神場は文化のゴミ捨て場」と述べている。地域の人々の生活を受け止めてきた文化の場としての役割は、石が捨てられていた金生遺跡にも通じるのでは、と深澤は報告書に書いている。[※11]丸石の祀り場を、美術館という場でありながらも、凋れて機能しない北池で展開したこと。美術、民俗学、考古学、人類学が交差し、加えて地域の人々が出会う場となったこと。美術館、博物館、考古博物館のあり方や関係性を問い直すこと……。本プロジェクトには、これまでにない批評や示唆、実践が、深澤の醸し出すさりげないユーモアと空気感から発信されている。そのような深澤の活動から、ヨーゼフ・ボイスの「社会彫刻」の現代における拡張を感じるのは、私だけではないだろう。

ある日、Ｍｙ丸石の取材で神澤家に電話をした際、奥様が何気なく口にされた「山と川は同じもの」という言葉が、頭から離れない。関東の山々と笛吹川の悠久の関係から生み出された丸石を思うと、まさにそうだと思う。丸石は笛吹川沿いの甲府盆地に集中している。笛吹川は釜無（かまなし）川と合流し、富士川となり富士山の西を流れて、富士から太平洋に注ぐ（その少し西の清水には、石子順造が住んでいた）。

石も生きている

石にはモノには収まりきらない何らかのエネルギーがあるように思う。石を見ると、そのような形になる前の何万年何億年の時間における生成変化を考える。石は有機体やさまざまな鉱物でできているが、その成り立ちにおいてはマグマなどの流動体やそのときどきの異なる成分が特定の環境で混じるため、非常に多様である。また小石が混じったり圧力や熱で凝縮されたり、有機物などを介して結合し「育って」いくものもある。同時に石は、微生物や菌類など、さまざまな生命体を宿していく。

二〇二〇年十二月、台湾東部の花蓮（かれん）から山に入ったところにある原住民太魯閣（タロコ）族の村。知人のアーティストでシャーマンの東冬侯溫（トントン・ホウウェン）に、現地で見つけた石を持ち帰りたいと伝えたところ、その石を手に、自然にうかがうように祈り始めた。しばらくすると、「ＯＫ（持ち帰っていいよ）」と。この地では、山も石も人も自然という身体の一部を成していることを強く感じ、感謝しつついただいたことを思い出す。また、二〇二一年十一月、「対話と創造の森」において開催したフォーラム「精神というエネルギー――石・水・森・人」（Ｐ３４６参照）は、

調査員と深澤孝史（後列右端）、筆者（左から五番目）、山梨市にて

道祖神リプレゼンテーション
「いしのまつりば」 撮影：深澤孝史

My丸石　筆者撮影

石や水、森や人が、相互依存的で不可分なものであることを山々の中、自然の懐において話し合う場でもあった。石や水、森、人は、そのような視点から見れば、いずれも「生きている」といえるだろう。私の考える「精神」とは、森羅万象であり、絶えず動的に変化・循環する様態を指している。精神/物質という二元論ではなく、情報のフローが、物質と非物質、可視と不可視の間を往還し続けるという世界観である。それはまた、生命と非生命の境界をつなぐものとしてある。

人類学者の奥野克巳は、ティム・インゴルドが著書『人類学とは何か』[※12]の中で検討した人類学者アーヴィング・ハロウェルとカナダの先住民族オジブワの首長ベレンズによる一九三〇年代の「石」をめぐる対話について、奥野自身の著書『絡まり合う生命――人間を超えた人類学』でも取り上げている。その一節とは、インゴルドがベレンズの語りを検討し、以下のように述べた箇所である。「いのちが石の中にあるということではなくなる。むしろ、石がいのちの中にあるのだ。人類学では、モノの存在および生成についてのこのような理解――もしそう呼んでいいのなら、この存在論――はアニミズムとして知られている」[※13]。インゴルドは、「いのち」を「世界を貫いて流れる物質の循環とエネルギーの流れの見えない力」としているが、この力は私の言葉では「情報フロー」を想起させる。そして「情報フロー」は、生物学者の三木成夫の世界観とも通じ合う。

「生命」とは、生活の中にではなく、森羅万象の〝すがたかたち〟の中に宿るものである。
——三木成夫[※14]

森羅万象という言葉から、「山は生きている」という言葉が浮上してくる。そしてベルクソンは、「生命」と「意識」について生成論の立場からこう述べている。

生きているものは全て意識を持ちうるのです。すなわち原理的には、意識は生命と同じだけの広がりをもっています。——アンリ・ベルクソン[※15]

これらの言葉は、「いのち」「生命」「精神」という概念の広がりが、人類学や自然科学、哲学を超えて共有されうることを示している。

さて、富士山から、諏訪・八ヶ岳、川崎、そして多摩川を遡り御岳山へと回った旅は、三峯山や宝登山を経て、山梨から富士山へと螺旋を描きながらひとめぐりしたことになる。この旅は同時に、「山々」という存在や概念をめぐる旅となった。「いのち」「生命」「精神」……山々がこれらをもつ存在として見え始め、世界を複数性や関係性において見直し、その背後にあるシステムやパターンに目を向けることができた。インゴルドは、人類学における存在論として「アニミズム」という言葉を使っている。人間と非人間が、動植物や石だけでなく、気象や自然の諸現象、デジタル上の存在も含めたかたちで連携していくプロセスの中に、新たな存在論もしくはアニミズムが編まれていく時期なのではないか、と思う。

※1　フォッサマグナは、かつて東北日本と西南日本を分断していた海が隆起してできた大地溝帯で、新潟県糸魚川市と静岡市を結ぶ糸魚川－静岡構造線（糸静線）を西縁、新潟県と千葉県を結ぶ構造線（複数の説がある）を東縁とする広大な地域にわたる。地質学者ハインリッヒ・エドムント・ナウマンが一八八五年に論文で発表、一八八六年「Fossa Magna」と命名した。二千五百万年前以降、堆積物や火山噴出物によって隆起し、現在の丹沢や富士山、八ヶ岳などが含まれる。

※2　本文で言及した小倉美恵子の著作、映画は次の通り。『諏訪式』亜紀書房、二〇二〇年。「ものがたりをめぐる物語」（前後編）由井英監督、ささらプロダクション、二〇二二年。『オオカミの護符』新潮社、二〇一一年。「オオカミの護符」由井英監督、ささらプロダクション、二〇〇八年。

※3　多摩川上流にある青梅市の武蔵御嶽神社へ詣で、御神体である「オイヌ様のお札」つまりオオカミの護符をいただいてくる習わし。

※4　小倉美恵子『オオカミの護符』、前掲書。

※5　同右。

※6　たとえば縄文中期の土器や土偶の様式や世界観は、諏訪のとりわけ長野県富士見町を中心する地域の「井戸尻文化」が、神奈川県相模原市の「勝坂遺跡」まで伝播したと考えられ、その連関によって「井戸尻・勝坂文化」ともよばれている。

※7　「山梨アートプロジェクト2021」のひとつ、主催は山梨県立美術館。

※8　お金の代わりに自身の「とくいなこと」を銀行に預け運用するコミュニケーションプロジェクト「とくいの銀行」（二〇一一年）の札幌バージョンとして二〇一四年に展開した「とくいの銀行 札幌」では、札幌の開拓時代における「とくい」を想像して預ける「とくいの銀行 札幌支店 since 1869」と、引き出されたイベント記録を展示する「開開拓資料館」で構成、多くの人々が参加した。

※9　常陸太田市は、この地を拠点に周辺地域を約四百七十年間治めた常陸源氏直系の佐竹氏が、一六〇二年に秋田に転封され、水戸藩の支配下となった歴史をもつ。深澤は、佐竹氏が留まっていたら、という歴史の別の可能性として「常陸佐竹市」を立ち上げ、常陸太田市郷土資料館（元常陸太田市役所）を会場に「常陸佐竹市役所」を地域の人々とともに開設、古代から現在までの資料を展示した。芸術祭会期中には「常陸佐竹市祭」「常陸佐竹市長選挙」が展開された。

※10　自然万物に降りてくる精霊を意味する「ミシャグジ」は、諏訪湖の土着神で、縄文時代から祀られてきた。長野県の諏訪地方を中心に山梨県から関東地方に至る地域、また近畿地方の一部などで民間信仰として祀られており、「ミシャグジ」「ミシャグチ」「ミサグチ」など地域によって呼称が異なる。

※11　本阿弥清・道祖神芸術調査グループ編著「山梨アートプロジェクト2021（山梨県立美術館）道祖

※12　神リプレゼンテーションの8つの成果——深澤孝史企画《ドキュメント集》」二〇二一年。
※13　ティム・インゴルド『人類学とは何か』奥野克巳・宮崎幸子訳、亜紀書房、二〇二〇年。
※14　奥野克巳『絡まり合う生命——人間を超えた人類学』亜紀書房、二〇二〇年。
※15　三木成夫『生命とリズム』河出文庫、二〇一三年。
　　　アンリ・ベルクソン『精神のエネルギー』原章二訳、平凡社ライブラリー、二〇一二年。

生

大小島真木——呼吸、空気……そして宇宙万象へ

深呼吸する。まず口から息を細く吐き、次に一瞬息を止める。今度は、鼻から空気を腹部、そして胸へと引き入れる。そうしてゆっくりと口から外へと出す……。深呼吸という行為——身体から出し、身体にとり入れそしてまた出すプロセス——は、世界と自身が分節化しながらつながっているという二重の関係にあることを意識させる。私たちは、呼吸なしには生きていけない。この世界に生まれたときから死ぬまで呼吸し続け、止まることは死を意味する。生命（いのち）は呼吸なしにありえない。呼吸は生命の躍動なのだ。

呼吸においては身体の一部が外部へと流出し、外部が身体の一部として取り込まれる。そ

こでは身体が世界の一部であり、世界が身体の一部でもあるように思う（食べることや排泄においても同様である）。情報のフロー、つまり可視／不可視、可聴／不可聴の境界を超えて常に生起している流れとして身体と環境を捉えるならば、可と不可の両者を切り分けることは難しい。むしろ、つながり変容し続けているのではないか。

アーティスト大小島真木は、人間や動植物、山や海、大気も含めた森羅万象が絡まり合う世界を鋭敏に感じ取り、自らとつなげながら呼吸、生活、制作し続けてきた。絵画やドローイング、映像、陶器、インスタレーション……多様な作品は、生々流転する世界を自身が一種のフィルターもしくはメディア（巫女）となって、作品へと昇華させたものである。呼吸にたとえれば、遍在する有象無象（うぞうむぞう）を吸い込み、全身全霊で世界に精気を吹き込む作業といえるだろう。展示では、「大小島界」（四方）とでもいえるような、複数の時間や場所の成分が現実とフィクションを超えて混じる地平に、私たちは息を呑み、それをなだめるプロセスとともに世界の深淵へと誘われていく。

綻びの螺旋

二〇〇〇年に「人新世」という地層年代が生み出されたが、産業革命以降、狭義にはここ約七十年の間に人間が採掘・消費した資源や新たに生み出した合成物（化学物質、プラスチック、原子力など）は、地球が本来もっていた自浄作用をはるかに超えて環境を破壊した。空気も同様で、とりわけ大気中に長時間漂うエアロゾル（液体や固体の超微粒子）は、肺や気管の深部に及んで呼吸器に影響するという。それは生命体の根幹への侵食である。解剖学者の三木成夫は、動物の腸管を引き抜き裏返したのが植物だとしたが[※1]、逆に気管支が樹木状に張りめぐらされた肺は、地球上にある樹木の反転形といえよう。光合成で酸素を生み出す植物と身体内部の肺は、それぞれの環境を支える根幹でありながら、ともに危機に晒されている。

二〇二〇年、新型コロナウイルス感染症によるパンデミックの猛威が世界中に吹き荒れた。人々は、マスクで呼吸器を遮断し距離を保ち、可能な限り接触を避け、オンライン・コミュニケーションへとシフトした。空気を共有しない世界は、匂いや感触、体温、音そしてバイブレーションなど体感的な豊穣さを遮断し、生きる歓びや生命の脈動をフリーズさせた世界である。

パンデミックの時期に開館を迎えた角川武蔵野ミュージアム[※2]は、「コロナ時代のアマビエ・プロジェクト」を企画、計六名のアーティストの作品を館内や外壁で順次展示してきた[※3]。大小島の《綻びの螺旋》（二〇二一年）は、その最終回としてエントランスロビーで展開された大規模なインスタレーションである（口絵P2−3参照）。生と死が相反するものとしてではなく、腐敗と発酵、分解と生成も同様に相互循環的な営みとするまなざしから、大小島はアマビエを生んだ近代以前の世界観を二一世紀のポストパンデミック時代に拡張し、森羅万象の救済のビジョンを《綻びの螺旋》に託した。

磐座の隙間から――《綻びの螺旋 Perforated Spiral》

角川武蔵野ミュージアムは、武蔵野台地に位置している。大小島が生まれ現在も生活する東久留米とも近い。埼玉県から東京都にまたがる武蔵野は、背後に連なる関東山地から流れる多摩川が作った扇状地であり、水脈に沿って縄文中期を中心とする遺跡が多く存在する。この地域は、二千万年前に東北日本と西南日本を分けたフォッサマグナ[※4]に属し、関東山地以外はかつて水面下であったというが、その後堆積物や火山隆起により陸地となった。フォッサマグナのエリアには富士山、八ヶ岳などが含まれるが、私は八ヶ岳山麓にある諏訪の自然や精神文化に関わる中で、この地域に多くの磐座(いわくら)が見られることに注目してきた。磐座といえば、角川武蔵野ミュージアムの建築（設計：隈研吾）は、磐座をモチーフとしているという[※5]。そして大小島は、火山由来の花崗岩を使い地層と知層をつなぐかのようなこの建築を、まさに「磐座」と見立てた。巨大な磐座の下部にある入口床面では、何本もの大小の指が絡まったドローイングのシートが来館者を内部に誘うかのようである。ここからすでに《綻びの螺旋》は始まっている。館内に入ると、広いエントランスロビー全体が大小島作品の舞台と化している。入口から床を枝状にうねるシートは中央にある結節点へとつながり、そこから再び複数の枝が、螺旋を描くように床上をうねりながら空間各所へと到達している。シートには、大小島のドローイングの断片やオリジナルテキスト、書物の引用が流れるように綴られている。

ロビーの真正面には、エネルギーを放出する巨樹のような大きな絵画が私たちを迎え、その傍らにオブジェたちの一角がある。手前の高い柱には、見上げるほど縦長の絵画にそそり立つ木のような大きな骨が描かれている。そして右奥の壁面には、大きな掌(てのひら)が見える。垂直軸では、これら三枚の絵画が空間の中で存在感をもっており、平行軸では床のシートがうねり絵画や空間全体をつないでいる。ひとつの有機体のようにも見える空間を、人々は自由に回遊しながら作品の細部へと入っていく。「磐座」の内部に入り、そこに育つ生命体に遭遇するかのような構成は、石が無機的で静的なものではないという大小島の表明であるだろう。そもそも磐座は、その大きさや形状によって人間が畏敬や信仰の念を抱くほどの存在である。その多くは、かつて火山の噴火や山体崩落で落ちてきたままその地に鎮座し、長い年月の中で苔むし、虫や微生物が共生する生態系を成している。

「石が生きている、石が太る、石が血を流す……」とは神道学者の椙山林継が述べた言葉であるが、[※6]そもそも石というものは、不動で不変ではなく、成分や成り立ちに応じて変化し続けている。その意味では磐座も「生きている」といえるのではないか。生命科学者でバイオアート研究者かつアーティストでもある岩崎秀雄は、「地質学スケールで見れば「石」もまた動的現象（生命の起源論争・化石・地層）」だと述べている。[※7]大小島のインスタレーションは、「磐座」の内部に有機的な流れや変化を育み、それらを外へ流出させ大気に遍在させていくものとしてあるだろう。

角川武蔵野ミュージアム　撮影：大小島真木

二〇二〇年、世界に結界が張り巡らされた。到来した災禍から身を守るために、私たちはその結界のうちに引き籠ろうとした。［中略］張り巡らされた結界は完全ではなかった。綻んでいた。［中略］私たちに孤絶を禁ずるその綻びは、一方で、私たちを孤絶から救いだす糸口でもあったはずだ。綻びのために私たちは孤絶しえない。綻びのために私とあなたは無関係ではいられない。祝福されし綻び。悦ばしき綻び。私たちに死をもたらす綻びは、同時に私たちの生の条件でもあるのだ。［中略］外界から隔たれ、清潔さの行き届いたこの空間にさえ、目には見えないだけで無数の生命が蠢いている。それらを運ぶのは私たちかもしれない。私たち自身もまた動く綻びなのかもしれない。もし、綻びから吹き入る風に傷ついたなら、結界を張り直すより前に、まずはその傷口にそっと手をかざしたいと思う。誰も孤絶していない。その綻びを綴じることはできない

——大小島真木※8

私たちは新型コロナウイルスという災禍に対して「結界のうちに引き籠ろうとした」。しかし大小島は、結界が綻びていて私たちが孤絶しえないこと、むしろそれが生の条件だとみなしている。そして「結界を張り直すより前に、まずはその傷口にそっと手をかざしたい」と述べる。人間が人間以外を下位の存在、そしてモノとみなして孤立してきたこと、それによって逆に動植物そして森羅万象から孤絶してしまったこと。そこから「綻び」を認め、私たちが世界の一部として存在していくことが、ぎりぎりの可能性として提案されている。

人間は、人間以外を対象化し、支配・制御しようとしてきた。それは人間がもつ暗闇や死、そして綻びに対する根源的な不安に由来する。生身では弱いホモ・サピエンスは、テクノロ

ジーを発達させてさまざまなものを発明し、蓄積し、そして同時にアートを生み出してきた。そうして築かれた文明の上に、私たちは生活している。綻びを排除する行為は、人間中心主義的なオブセッションに駆り立てられている。しかしアクシデントや例外は、人間の想定を超えて生起し続ける。世界の深淵、そして人間が到達も管理もしえない世界……。大小島は《綻びの螺旋》において、そこにこそある未分化で豊穣な世界（あるいは未分化の豊穣）を描いている。その作品は、螺旋というビッグバン以来の宇宙的な時間と空間スケールで生起し続けている動きが、常に予測不可能な差異を生み出すことを示唆しているように思われる。

かつて吉本隆明は「生命について」という講演で、三木成夫による生命現象の基本要素として螺旋とリズムを挙げていた。[※9] 螺旋とリズムが関係し合うプロセスが、現象や物質を形成するのではないか。そしてそのプロセスが、現象や物質を形成するのではないか。大小島の作品は、綻びをもつ存在としての人間を森羅万象としての生命群に包摂している。綻びとは、むしろ祝福されるべきものなのだ。

生命樹と環世界

館内に入り、全体を見渡してもっとも目を引くのが、正面奥に展示された巨大な絵画、〈マンダラージュ〉である。二〇二一年に熱海で滞在制作されたもので（Hotel New Akao）、多様な生命が絡まり合うことで上へ上へと成長し、巨大な生命の樹を織りなしている。動物の頭部、コウモリ、蛸、蛾、昆虫、魚、アンモナイト、鳥の羽、DNAの二重螺旋、脳、骨や植物、魚体から飛び出た人の手、精子、幾何学的形状、そして螺旋……さまざまな動物や組織、生命たちが密集しうごめいている。生か死か、発酵か腐敗かの区別ができないカオティックな状態で、螺旋を織りなし上昇する樹は、大小島によれば、『古事記』でスサノオに殺された穀物の女神、「大宜津比売（オオゲツヒメ）の堆肥から生まれた絡まり合う混沌とした生命たちによる木」であるという。※10

境界を超えて多種の存在と有機物や水などを交換し相互に享受する力強いエネルギー体、それは生命の証であり、絡まり合うキマイラたちの饗宴は終わることがない。樹の下部にも馥郁（ふくいく）とした大地が広がり、地中には地上を凌駕するほどの生命の絡まりやネットワークがひしめいていることだろう。生命樹の中央からは、半人半獣の頭部が正面切って私たちを見つめている。上部にも大きな目のようなものがあり、そこかしこにあるいくつもの目がこちらを見ている。大小島は、かつて屋久島の森で迷ったとき、「森に見られている」と感じ、自分が死ねば、森の微生物たちに食べられ分解されていく（森になる）と感じたという。自然の中で人間は見るだけでなく見られる存在であり、食べるだけでなく食べられる存在である。複数の動植物、そして石、森などに見られていると感じること。それはブラジルの人類学者ヴィヴェイロス・デ・カストロが唱えた「パースペクティヴィズム」（一九九八年）にもつながっていく。

大小島は、二〇一七年海洋調査船タラ号にアーティストとして乗船した際、北太平洋上で白いクジラの亡骸に出会ったという。[※11] 人間の身体のスケールをはるかに超えた存在の皮が溶け腐臭を放つ中、鳥や魚やさまざまな生き物に食べられている。それを見て「鯨は海の一部であり、同時に海が鯨の一部」と感じ、海そして鯨を「生命のスープ」だと実感したという。[※12] 分解と生成が同時に起きること、それこそが生命の連鎖であり、その絡まり合いの中で私たちも生きている。その意味で〈マンダラージュ〉は、根を張る大地そして大気を含めた「生命のスープ」ともいえるだろう。

大小島は、大きな絵画を描くときも、自らの心臓ほどの小さな絵から始めるという。小さな虫が延々と歩み続けるように、ささやかなエリアから描いていく。「最初の一歩と石を投げかけて、たくさんの余白を残しながら進める」[※13] と述べているが、ボトムアップに、自分の目線や身体に沿いながら描く中で絵画が成長していく（ときにはキャンバスからはみ出て壁へ、ときに映像へと拡張される）。滞在制作では、そこでの体験や思考を絵画に取り込んでいく。キャンバスの上で飲食をするなど、絵画空間が生活空間と重なり始める。描く行為もその都度、異なる向きや姿勢がとられる。そのような中、自身の呼吸や体温、細菌、ときには汗もが絵画に付着し浸潤していく。生理の経血も塗り込んだというが、まさに「生命のスープのように絡まり合った世界を、生命のスープのような液体によってドローしていくこと[※14]」の結果である。描く内容に加えて、「生命のスープ」を素材として入れ込んだ大小島の延長体としての絵画は、《綻びの螺旋》の充溢を高らかに謳いあげている。

タイトルの〈マンダラージュ（MANDALĀJU）〉は、「曼荼羅」と「樹」に由来すると思われる。それに沿って、文化人類学者の岩田慶治が「マンダラ」について述べた一節を引用する。

コスモスは見られ、鑑賞された美の宇宙である。マンダラは観察者が行為者になり、その中に歩み入ったときに成立する動の宇宙である。いかにその光は乏しくても、そこに歩み入るわれわれ一人一人が大日如来の分身なのである。そのとき、自分と木、自分と石、自分とネコの境界が消える。その光の知がマンダラを覆いつくすのである。——岩田慶治[※15]

「マンダラ」では、観察者が行為者になるという。大小島の有機的延長体としての〈マンダラージュ〉も同様に、描いた大小島だけではなく、私たち観る側が歩み入ることで「動の宇宙」となる。それは「生命のスープ」のただ中に入り味わい、そこに溶け込む体験であるだろう。

〈マンダラージュ〉の手前の床には、布に詰め物がされたオブジェや漂流物や流木による一塊りの〈マンダラーシュSeeds〉が佇んでいる。いずれ〈マンダラージュ〉になるであろう「種」としての存在は、再生布や綿、端材布によるもので、瀬戸内の粟島の女性が手で作ったものだという。人間や動物たちを想起させるパーツが入り組みながら、来るべき生命樹への変容を待つかのようである。また柱に設置された絵画〈環世界群（Umwelts）〉（二〇二一年）は、六メートルに至る高さのもので、人の上腕骨が描かれている。大小島は、骨について「ミネラルを蓄えるための生命維持装置であり、体内に存在する固形の海だともいわれています」と述べている。[※16] タイトルは、「すべての動物はそれぞれに種特有の知覚世界をもって生き、その主体として行動している」というエストニア出身の生物学者ヤーコプ・フォン・ユクスキュルが提唱した「環世界（Umwelt）」を複数形にしたものだという。天空に向かってそそり立つ骨の根から最上部分まで、至るところに生命たちが発芽している。根の部分から出るエネルギーの管のようなものには蜂がつながり、外のエネルギーが接続され変容する様を想起させる。骨の最上部には脳のようなものがあり、その上の天空も有機的な存在で覆われている。おびただしい生命の芽や存在は、生命の根源（海）としての骨から生まれている。そしてそれぞれの生命が、「環世界」をもち共存しているのだ。個体の死であるとともに、生命の海である骨は、生命エネルギーに満ちた〈マンダラージュ〉と対照を成すもうひとつの生命樹といえる。岩崎秀雄はとある研究会での発言において、「石のような生物の形態」として歯、骨、珪藻を挙げ、それは「異なる時間性が混在する身体」であると述べている。[※17] 人間を含む動物の身体でもっとも石に近いのが歯や骨で、他の部位よりも長く存在する。〈マンダラーシュSeeds〉は、種子のように硬い。同時にその生命樹は、〈マンダラージュ〉の生命群の変化とは比較できない長い時間で育ち、朽ち果てていくだろう。

〈環世界群〉の右奥の壁面には、三メートルを超える大きな掌が描かれた絵画〈クラレ(Curare)〉が浮かんでいる。大小島によれば、「アマビエ」というお題に呼応して、肥後国熊本などの海中から出現し、吉凶にまつわる予言を伝えたという猿に似た毛深い妖怪「アマビコ」(江戸時代後期から明治中期に記録)をモチーフにしたという。大きな掌には猿がいくつも描かれ、下部には小さな掌が描かれている。タイトルの「Curare」は、「care(ケア)」の語源のラテン語で、心配や悲しみ、世話、介護、保護などを表す「care」や配慮・治療を表す「cure(キュア)」を含意するという。大小島は、他者の悲しみや痛みを自分のものとして感じ、ケアすること、つまり他者を遮断せず、絡まり合うことで災厄や悲しみを共有することを示唆する。手は、常に他者や世界と接触し接点をもつ最前線であり、手を当てたり手でさすることで病を癒したり、痛みをやわらげる効果もある。本作は、新型コロナウイルスにかかわ

大小島真木《綻びの螺旋》より手前中央が〈環世界群〉、左奥が〈マンダラージュ〉、右奥が〈クラレ〉、2021年
撮影：中村治

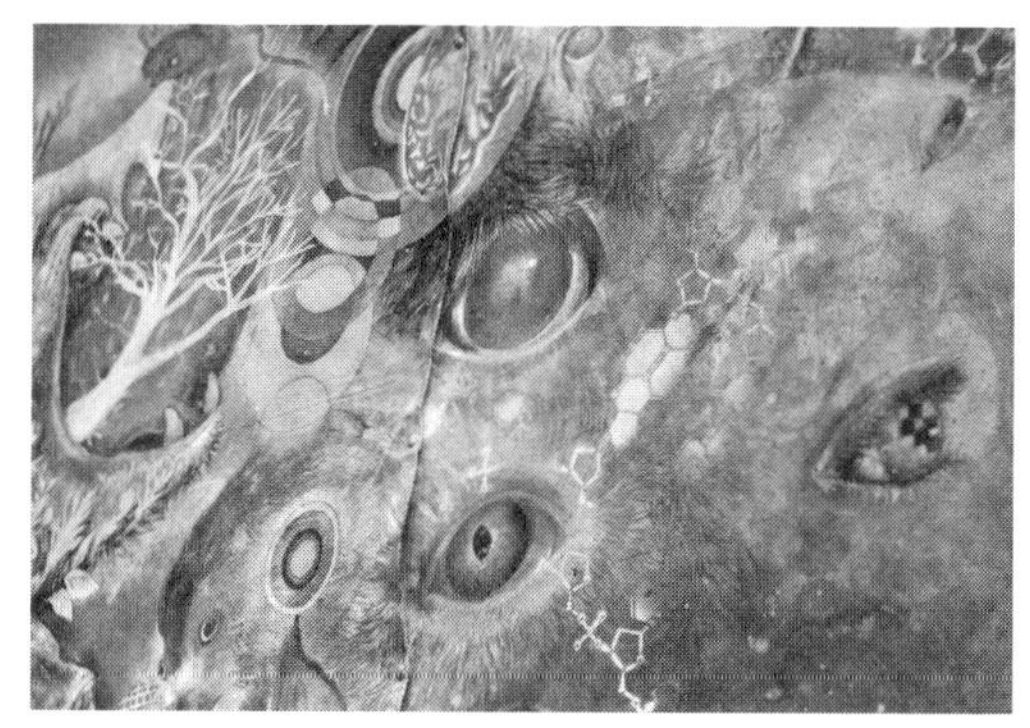

大小島真木《綻びの螺旋》より〈マンダラージュ〉細部、2021年
撮影：中村治

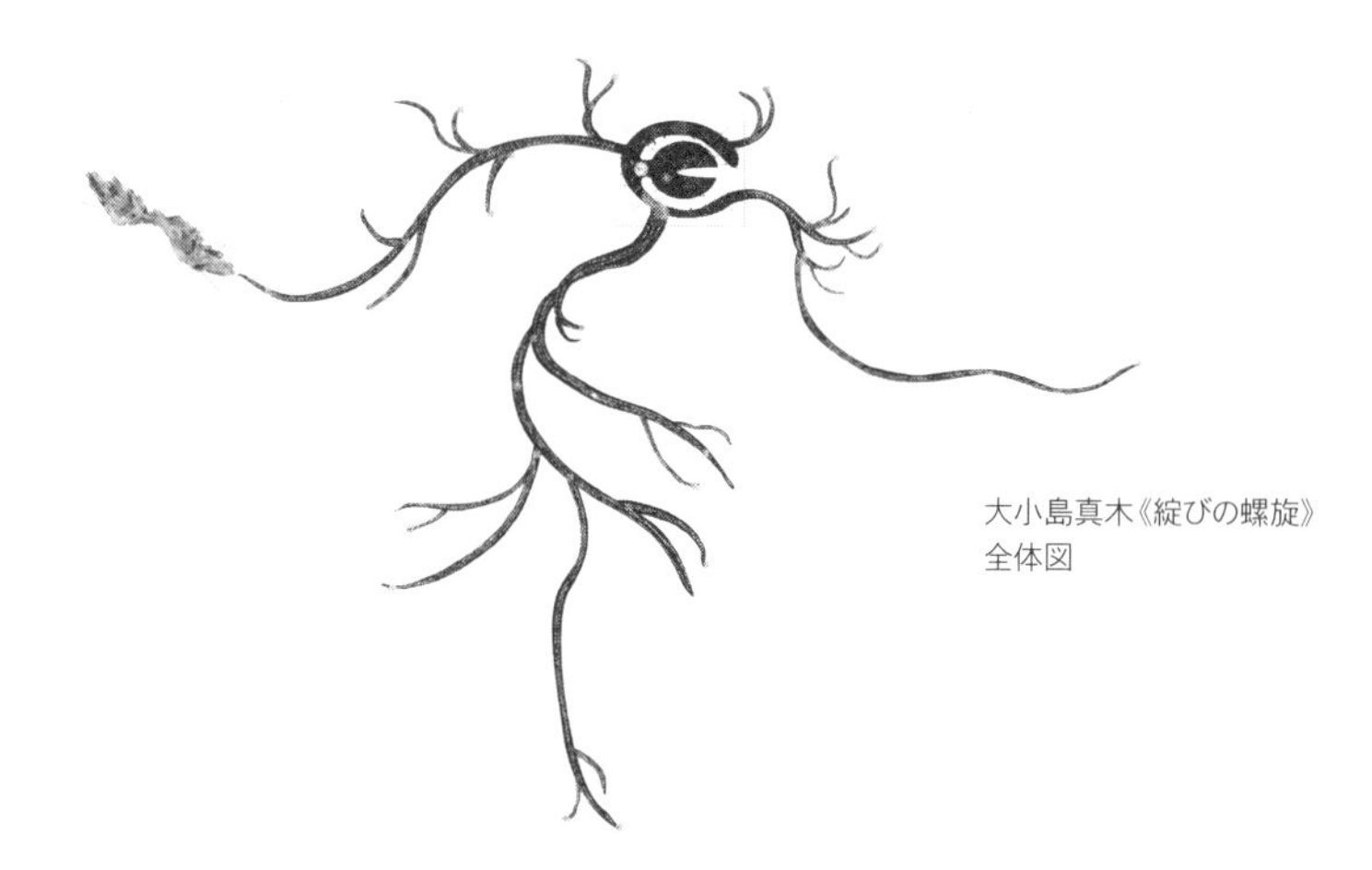

大小島真木《綻びの螺旋》
全体図

らず、また人間に限らず、それぞれの生物がそれぞれの環世界で抱えている危機、あるいは地球上で起きている危機についての「ケア」や「キュア」という、アートが今まさに人々に対して担いうる大きな可能性に触れている。

《綻びの螺旋》は、これらそれぞれの絵画やオブジェをノード（結節点）として、床上に管や神経系のように伸びるドローイングとテキストの複合体がひとつの生命体のように接合する様態を呈している。実は、この生命体の中核をなすのは床のドローイングの中央部であり、上述の作品たちは、そこから延長された枝の果実のようなものとしてある。中央部分は、円形でありながら、その形状が閉じられずに一部綻びている螺旋のような形態――綻びの螺旋――をとる。大小島は、その形態に生命の本質そして世界の根源を感じ取っている。

この全体図の不思議な形態は、大小島が生み出したのではない。盛り土をしてそこに水を流し入れ、土を侵食し崩れた形態から大小島がドローイングを起こしたものだという。人工的なランドスケープを生み出し、そこに一種の「水害」を起こすことで、自然の流れ（ドローイング）が生まれ、その流れを起源に床全体に神経系のようなネットワークが延長され、それぞれの突端に出現したのが生命樹（〈マンダラージュ〉や〈マンダラーシュSeeds〉）であり、骨と化した柱〈環世界群〉、掌としての〈クラレ〉なのである。そしてこれら可視的な世界から、私たちは巨大な磐座の外、そして下へと広がり続ける不可視の《綻びの螺旋》を想像する。未来にわたって成長し続け、磐座からさらに伸び、本体や周辺を覆い尽くしていく様を。《綻びの螺旋》は、生き、呼吸し続ける。そしてそれは、磐座としてのミュージアムを呼吸させようとする。ひいては地表を覆い空中へと伸び、地中に根を張っていくことで、地球自体をひとつの生命を宿す「磐座」へと成長させていくだろう。

Re forming《I》

《Re forming《I》》(二〇二二年)は、「コロナ時代のアマビエ・プロジェクト」枠で制作された《綻びの螺旋》に加え、本プロジェクトで連続展示を行った六人のアーティストの作品を一堂に紹介する展覧会[※18]で発表された新作である。「形を再生させる」を意味する《Re forming《I》》は、AIの機械学習機能GAN(敵対的生成ネットワーク)[※19]を援用した新たな試みである。大小島がコロナ禍に温めてきたもので、自身で試みたすえに、プログラマーに依頼してようやく実現したという。メディアは異なるものの、《綻びの螺旋》の続編という側面もつように筆者には思われる。空間には透過性のある正方形の布がいくつも吊られ、その布に印刷された人間か動物かが判別し難い異形の顔の(ような)画像が浮遊している。その中にひとつだけ、テキストを含む動画のプロジェクションがある。音はない。しかしその場に立つだけで、ただならぬざわめきが感じられる。

大小島は、膨大な数の絵をスキャンしてコンピュータ内に蓄積、GANで画像を生成させる際、人間や動物の顔だけでなく、ウイルス、木など顔からかけ離れた絵を投入したという。システムが撹乱され、その上で綻びつつとり入れることによって、現実には存在しえない顔のような形状が次々と生成された。せめぎ合いにより生み出された画像たちは、いずれもえもいわれぬ寄る辺なさを放ちながらこちらを見ているようである。それらをつないで制作された四十三分間に及ぶ動画では、次々とあらわれる形象が不気味な生々しさを放つ中、大小島の世界観に沿った自身のテキストや引用が挿入される。[※20] 見たこともない不気味なキマイラたちを目の前にして、直感的に目を背けたくなる、と同時に引き込まれ目を離せない……相反する相克に身を置くこと、それはけっして楽なことではない。しかし私たちはそうすることで、自らのもつさまざまな先入観や規範——社会、美そして生命など——を相対化し、ひいては自らの存在や生命を相対化し始める。

AI技術により生み出された存在しえないキマイラたち、それらは人間と人間以外との絡まり合う可能態の一端であるとともに、デジタルの存在とのマルチスピーシーズ的な蜜月を開示するものでもあるだろう。現在のバイオテクノロジーでは、遺伝子組み換えや幹細胞の培養などでかつて存在しえなかった生命体や器官が生み出されうる。バイオテクノロジーを

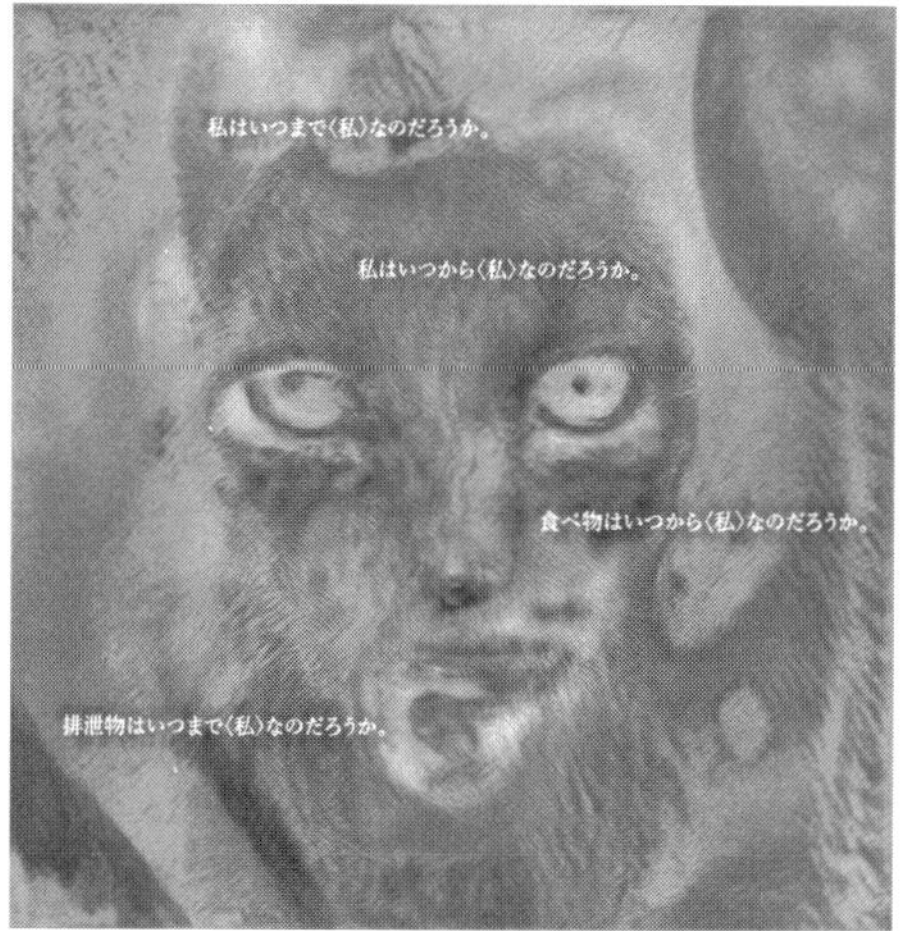

《Re forming《I》》2022年　撮影：中村治

実際に駆使することに対して、大小島は批評的である。むしろ想像的にアートとして存在を多種へと開くことで、既存の種のあり方やヒエラルキーを解体しようとしている。

大小島は、見かけや構造的に隔たった画像を掛け合わせるだけでなく、生成された画像と絵を掛け合わせたり、生成された画像を模写したり、あるいは陶器にするなど、デジタルとアナログをつなぎGANとの一種の「コラボレーション」を実験している。それはパンデミックの時代において「ウイルスとともに生きる、共生共死」(大小島) という決意の表明でもあるだろう。《綻びの螺旋》が、人間、動物、植物、微生物、無機物をはじめとする有象無象のものが結界の破れとともに有機的に絡まり合う樹だとすれば、《Re forming《I》》は、有象無象がAIを介してアルゴリズミックに絡まり合い樹木状を形成しているといえないか。前者における生命のスープは、後者では、描いたものがデジタルへ流入した世界で自動的に生成されている。《Re forming《I》》で表出しているものは、個体の顔のようなものではあるが、その内部ではえもいわれぬ多種の要素のざわめきが反響して終わることがない。[※21]

宇宙万象へ

冒頭で、呼吸について述べた。呼吸は、生きている限り無意識的に続いている。と同時に人間は、呼吸を意識的にコントロールし心身を変容させることができる。では他の生体、つまり動物や植物、微生物にとっての呼吸はどうなのだろうか。そして通常生体とみなされない土や石、ひいては地球のようなものにとってはどうなのか。

まず、生命と呼吸を必要不可分なものとみなした上で、「生命」の定義をあらためて考える。生命と非生命の境界とは何なのだろうか。古来から世界各地で人間は、動物や森、山や川、天体や地殻の動きをはじめ森羅万象に生命を感じてきた。現在も先住民の人々において、それは受け継がれている。そして現在、近代以降の体系化・論理化の徹底の中で生まれたコンピュータを介した自然の観測や分析が、生命と非生命の線引きを逆に困難にし始めている。それは物質を超えたパターンとして生命をみなす視点であり、そこには螺旋状の軌跡や構造が横たわっている。非生命だが生命的なふるまいもするウィルスをはじめ、大気の流れや河川の移動や地殻変動など、ミクロ・マクロの時間や空間スケールで見ると、いずれも「生きている」とみなせなくはない。

かつてヘラクレイトスは、「生命とはそれ自体矛盾する統一物」だと述べたが、生命はカオティックな振動や流動であり、相異なるもの同士の境界領域が変容しつつ全体を成している様態なのではないか。そのような観点から世界を見るなら、さまざまな矛盾が混在し、螺旋が綻び、綻びが新たな螺旋を生成させて止まない様態も「生命」とみなすことができるのではないだろうか。地球に起きる風や波は、太陽が放つエネルギーや地殻の変動から引き起こされる。地球史的な時間から見れば、この惑星も常に微細に変化し振動し続けている。彼方で生まれた空気の不均衡から螺旋が次第に成長し、台風や風となりやってくる。それとともに、人間にとっての厄災や疫病も運ばれる。

古代ギリシア語の「プネウマ」は、「気息、風、空気、大いなるものの息」を意味し、ギリシア哲学では「存在の原理、呼吸、生命、命の呼吸、力、エネルギー、聖なる呼吸、聖なる権力、精神、超自然的な存在、善の天使、悪魔、悪霊、聖霊など」を意味する。[※22]私たちは空気をとり入れないと生きていけない。私たちは、実は大気の一部であり、大気は私たちの一部である。新型コロナウイルス感染症で世界が大きく揺るがされ、風や空気に含まれるさまざまな菌までもが忌まれ排除されつつあったが、むしろこれらを世界や私たちの（そして私たちに起因する）一部として共存していく時代となっている。

生命は、ウイルスをはじめミクロの存在も含めた矛盾に満ちた統一体としてあるだろう。先ほど「地球自体をひとつの生命を宿す磐座」と述べたが、まさにミクロ、そしてメゾスコピック、マクロなスケールのさまざまな事物が、関係しながら入れ子状の様態を成している。そこでは生命と非生命に加え、鉱物や微生物、無機物や有機物が関係し、環境に応じて境界がぶれ続ける。これらの活動は、人間を含む生体の内部においても生起している。

思えば地球は宇宙から生まれ、現在も天体の運行や太陽からの光や熱、宇宙放射線や隕石などさまざまなものに曝され（開かれ）ている。単体で独立するものは、この世界のどこにも存在しない。ミクロとマクロをつなぎ、生命と非生命、無機と有機が環境に応じて変化し生まれる螺旋とその綻びの森羅万象、いや地球を超えた「宇宙万象」がある。そこには異なるスケールや次元の無数の螺旋と綻びたち（ときに「生命」とよべるだろう）が入れ子を成し、そのただ中に人間もいる。

人間は、地球上では唯一省察力をもち生命というものを自覚することができる存在である。技術とともに芸術を生み出してきたのも人間である。大小島は、人間であること、そしてアーティストであることの意味と可能性をたゆまず探求し、人間と人間以外のあらゆる生命のために、それらとともに綻びの螺旋を生み続ける。

※1　三木成夫『胎児の世界』中公新書、一九八三年。
※2　二〇二〇年十一月に開館。
※3　アーティストは、会田誠、鴻池朋子、川島秀明、荒神明香、大岩オスカール、大小島真木（展示順）。

※4　P86※1を参照。武蔵野も含まれる広大なエリアである。

※5　ミュージアムのウェブサイトには「花崗岩の板材二万枚を外壁にまとった、大地が隆起したような建築」「石とその面構成による唯一無二の造形性、武蔵野台地とこのミュージアムは地底でつながっているという思想」とある。

※6　椙山林継「祭祀の中の勾玉」、「松浦武四郎」展関連講演（静嘉堂文庫美術館、二〇一八年十月二十一日）での発言。

※7　京都府域展開アートフェスティバル「ALTERNATIVE KYOTO——もうひとつの京都」キックオフフォーラム「想像力という〈資本〉——来るべき社会とアートの役割」（京都文化博物館、二〇二一年六月二十四日）でのプレゼンテーションより。

※8　本作品《綻びの螺旋》についてのテキスト。会場に掲示された。

※9　吉本隆明「生命について」（一九九四年）、『心と生命について——吉本隆明〈未収録〉講演集2』筑摩書房、二〇一五年。

※10　大宜津比売は、本作展示中に始まったセゾン現代美術館でのグループ展に出品された絵画のメインモチーフであり、〈マンダラージュ〉はその身体を貫いている木のようだと大小島は述べている（二〇二二年五月七日、筆者との対話にて）。この絵画は、周辺の壁面へと拡張していった。

※11　大小島は、海洋生物保護目的の「タラ号太平洋プロジェクト」アーティスト滞在プログラム（アニエス・ベー主催、二〇一六－一八年）に二〇一七年に参加。

※12　国際瀧冨士美術賞第二十九期（二〇〇八年）受賞者大小島真木インタビュー、公益財団法人 日本交通文化協会、https://jptca.org/interview/20201019-15864/

※13　〈今週のPICK UPアーティスト〉大小島真木×森山未來、MeetYour Art、二〇二二年三月、https://

www.youtube.com/watch?v=fknrtg8f3wY

※14 逆巻しとね「『ガイアの子どもたち』#02 不純なれ、異種混淆の怪物よ――大小島真木は《あいだ》をドローする」DOZiNE、二〇二〇年八月四日、https://hagamag.com/series/ss0066/7852

※15 岩田慶治『木が人になり、人が木になる。――アニミズムと今日』人文書館、二〇〇五年。

※16 大小島真木展「骨、身体の中の固形の海。――植物が石化する。」(HARUKAITO、二〇一九年)のステートメントより。

※17 岩崎秀雄「深澤孝史《道祖神リプレゼンテーション》をめぐって」(生命の物質化・物質の生命化に関する理論調査と制作実践・第一回公開研究会、第六十一回マルチスピーシーズ人類学研究会共催、プレゼンター:深澤孝史、四方幸子、司会:増田展大、コメンテーター:奥野克巳、二〇二一年三月十二日)での発言。

※18 「コロナ禍とアマビエ――六人の現代アーティストが「今」を考える」展、角川武蔵野ミュージアム4F エディットアンドアートギャラリー、二〇二一年一月二十二日-五月八日。

※19 GANは生成ネットワークと識別ネットワークの二つで構成されたシステムで、前者(生成側)は生成した画像を後者(識別側)に識別されないようにする。

※20 奥野克巳、レーン・ウィラースレフ、福岡伸一、チャールズ・ダーウィンなど。

※21 大小島は、本作を暗い空間での音を含むインスタレーションへと発展させることを構想している。

※22 Wikipedia「プネウマ」http://ja.wikipedia.org/wiki/プネウマ(二〇二三年三月二十日閲覧)。

翁を現代に召喚する

東京・新宿の歌舞伎町にある「新宿歌舞伎町能舞台」で、二〇二二年に開催された展覧会「とうとうたらりたらりらたらりあがりららりとう」。アーティストの渡辺志桜里が企画とキュレーションを務めた本展では、最古といわれる能の演目『翁』をベースに、飴屋法水や石牟礼道子、ピエール・ユイグなど多彩な作家が集結した。

翁とは何ものか

「とうとうたらりたらりらたらりあがりららりとう」。呪文のように長いタイトル、会場は歌舞伎町の、しかも能舞台……これだけですでに異界への入り口が開いている。このタイトルは、能の演目『翁』で謡われる「神歌」の冒頭部分で、プロジェクトの通奏低音となっている。意味がわからないまま、口にしてみる。流れるようでありながら一律的でないリズム、くり返される「らり」……抑制された抑揚が、口腔内で循環しながら流出していく。身体、言葉、呼気……大気中に放たれる音や振動が、シテにおいてはことほぎ（言祝ぎ／呪言）として世界に発されていく。

能は日本を代表する伝統芸能のひとつだが、そもそもの由来は猿楽、つまり「ホカイモノ」（祝（ほか）ひもの。物真似などの大衆芸）としての芸能に由来する。「翁」はそのような能の中でも根源的なものであり、「能にして能にあらず」ともされる特異な演目である。それは、舞台上で演者自ら能面を着脱するという行為に顕著である。演者は面なしで登場し、若々しく謡う。そして白い翁面を着け、ゆったりとした祝福の舞を披露したのち、面を取り退場する。続く狂言方による「三番叟（さんばそう）」も同様に、激しい舞いの後に黒い翁面を着け、滑稽なやりとりや荒々しい演舞の後に面を取って退場となる。

会期中に行われた能舞台での『翁』の謡とアフタートークを聴講した際に、この演目で謡われる内容が、古代の呪文や今様（いまよう）、※1 アジアや日本の言葉など異質な要素が混ざったものであることを知る。いわばブリコラージュ的創造物ではないか。こういった発想につながる系譜としては、たとえば能楽研究者の山崎楽堂が一世紀ほど前に「中楽（さるがく）の翁」という講演で述べた「翁は翁以前の色々な芸術の断片が流れ集まってかういうものになった、即ち中楽以前の芸術の最後のものであるとします」という考え方が挙げられるだろう。※2 文芸評論家の安藤礼二は『折口信夫』の中で、こう述べている。「「翁」は鬼と一体であり、永遠の生命、「父母未生以前、本来ノ面目」を象徴する。そうした「翁」こそ、万物の中心に位置している。だから、この世界のありとあらゆるものは「翁」の分身としてあり、それゆえまた、動物・植物・鉱物など森羅万象のすべては「翁」を介して相互に密接な関係を取結び、互いに「変身」することが可能になる」[※3]

世阿弥の女婿である金春禅竹（こんぱるぜんちく）は、一四六五年頃に『明宿集』で「翁」を生と死の境界に宿る神としたとされる。折口信夫は、楽堂を参照しながら『翁の発生』の後半を著したといわれ、[※4]二夏にわたり沖縄諸島を訪れて、島民の伝承に翁成立の暗示を得たという。彼は、日本に国家以前から「常世神（とこよがみ）」という神の信仰があったと述べ、これは「常世人」といったほうがよく、それがもっとも古くは「神と人間の間の精霊の一種」として海の彼方の他界から来ると考えた。[※5]折口は、列島各地で見られる来訪神を「まれびと」と名づけたが、これら他界からやって来る存在は、神でもあり人でもあるとされている。また中沢新一は『精霊の王』において、金春禅竹が翁を「存在」と同義としたとし、「さてその「存在」は、わが国土の上に純粋なあらわれを、「神」のかたちにおいておこなう。そのために「存在」の根源を示す「翁」もまた、さまざまな神の姿に垂迹（すいじゃく）を起こすことになる」と述べている。[※6]

現在、全世界的には人新世、加えてポストパンデミックの中にあり、加えて日本では、東日本大震災以降の時代においてさまざまな困難を抱えている。「翁」という、近代化以前、それも火山性の列島に形成されたこの国の古層からのよび声を、現代の日本、それも新宿・歌舞伎町に内蔵された能舞台に召喚すること。それはこの列島ならではの磁場や芸能の根源に立ち戻りながら、この国と世界の近代と現代を逆照射する本能的かつクリティカル（臨界的・批評的）な行為であるだろう。その切実さを感知したのは、私だけでないはずだ。

胎動による母体状の超空間

新宿歌舞伎町能舞台は、飲食街やラブホテルに囲まれたマンションの二階にある（もともと稽古場としてつくられたという）。一種の異空間ともいえる歌舞伎町に、能の舞台があること自体、現実離れして見えるが、聞けば以前から能舞台があり、その後周辺が開発されて今のようになったという。人々の欲望が渦巻く歌舞伎町にある能舞台での「翁」を念頭にしたプロジェクトは、思うに能の根源に立ち返る試みともいえる。「ホカイモノ」の世界を呼び戻し（時代を逆流させ）、大衆に根ざした両者の親和性が浮上するからである。マンションの裏階段を上がる。玄関に入るとまず、キツネが写った福島・双葉町の県道の写真（撮影：飴屋法水）と、肢体が朽ち果てる過程を描いた《九相図鑑》（鎌倉時代、作者不明）の一枚に遭遇する。現代における異界、そして異界へ移りゆき人ならざるものに拡散していく人間に誘われつつ、ここで白足袋に履き替えることが一種のイニシエーションとなる。

玄関から進むと、ピンクのライトで照らされた小宮りさ麻吏奈の部屋がある（口絵P2参照）。畳の中央にシャーレがあり、顕微鏡越しに覗き込むとブルーに染まった細胞が美しい。それは実はがん細胞で、しかも七十年以上前に子宮頸がんで亡くなったヘンリエッタ・ラックスという女性に由来するという[※7]（HeLa細胞）。小宮はまた、一般細胞を用いて描いた自身のポートレートを展示している。次の間でのピエール・ユイグの映像、廊下での展示（水場には企画・キュレーションを担当した渡辺志桜里の《水》が置かれ[※8]、廊下の壁にはミセスユキによる複数の平面作品を展示）を経て、小さな戸を開けるといきなり能舞台となる。まるで冥界から生の世界に抜け出たかのように。

能の足拍子のように、舞台はときおり振動する。これは振動スピーカーによるものだ（飴屋法水たち《足拍子》、サウンド構成：涌井智仁）。飴屋は、共同キュレーターのひとりである卯城竜太が提案した振動スピーカーを足拍子として用いた。舞台上の「シテ」の位置で何者かが跳ねた振動（足拍子）によって、昭和天皇が崩御する間近の一分間の心拍数・呼吸数のデータをなぞったのだという。昭和末期の生死の境界域からの天皇のバイタルサインが足元から突き上げる中、舞台を降りると石垣島の特別な場所で収穫したハーブ入りルートビアが柱に取りつけられたタップから提供されている（ザ・ルートビアジャーニー《ルートビア（来夏世 kunatsuyu）》）。

折口信夫の「まれびと」の概念は、「翁」とも強い関係をもつが、ここでは天皇という存在が、南の島々の来訪神や大地のエネルギーなど多様な起源へと拡散していくかのようである。

舞台の外の空間には、さまざまな作品が展開されている。小宮の作品では、かつて営んでいた花屋を装った一種のバイオラボとしての《小宮花店》(二〇一六－一七年)が上映され、そして窓からは向かいのラブホテルにピンクの窓が見え、その室内では小宮自身の細胞が培養されているが、この会場に足を踏み入れることはできない(オンラインで様子を公開)。個人名を喪失しながら生き続けるＨｅＬａ細胞に出会った後で、死滅する精子が大量に放出されるラブホテルとそこで生かされている小宮の細胞を思うことは、非生殖的なミクロのレベルの生や死というものの核心に触れることであるだろう。石牟礼道子の資料展示では、久高島の女性による祭礼「イザイホー」についての直筆原稿と、会期中に一部が披露された石牟礼作の新作能『不知火』の資料に加え、愛猫のスケッチや電気釜、「魂石」と書かれたかまぼこ板など身近な事物が石牟礼の人となりを伝える。来場者がくつろげる空間には、コラクリット・アルナーノンチャイの映像、エヴァ&フランコ・マテスによる福島の帰宅困難区域で撮影されたパターンによる壁紙や座布団とともに、昭和天皇の通称「人間宣言」(一九四六年)やバイタルサインのデータ(一九八八年九月二〇日－八九年一月六日、電光掲示板)が表示されている。そして空間内でもっともバイタルな役割を担ったのが《囲炉裏(火)》で、会期を通して人々が話し飲食をする舞台となった。

第二会場は、能舞台（第一会場）で入手した「地図」でのみたどり着けるビルの九階（元ホストクラブ）と屋上であった。九階のラウンジでは、能舞台の「足拍子」（翁－天皇）に合わせて飴屋の娘が足踏みをする映像が流れている。ビルの屋上手前の踊り場で撮影されたものであり、来場者は現場に至ると娘を真似て、つい足拍子をとることで、自ら「翁－天皇－娘」へと接続されることになる。屋上に出る瞬間は、前の会場で能舞台に出た瞬間と重なってくる。壁面には富士山や松が描かれながら劣化した銭湯画があり、その前には白い箱状のものがぽつんと置かれ、進むと複数のスピーカーから地鳴りのような音が流れている。白い箱《冷凍庫》一九九八年－）は、飴屋が作家活動を一時休止して経営していたアニマルストア「動物堂」（一九九五－二〇〇三年）の遺物で、彼が愛した動物三体が入っている。フリーズされたパーソナルなアーカイブは、今回初めて展示されたという。そしてこの冷凍庫によって、渡辺が展示した福島の放射線物質除去水から、汚染水を遮断する福島第一原子力発電所の凍土壁へと、私の中で連想が派生していく。

第一会場の能舞台の背景の松の絵と舞台上の《足拍子》の振動が、第二会場の屋上の銭湯画と手前にある《冷凍庫》の振動と呼応するように感じられる。能舞台の絵と銭湯画（そして、それぞれの絵の前を過去に交差した男性の能楽師たち、そして湯船の女性たち……）と、二つの絵の

展示風景より、飴屋法水たち《足拍子》2022年、Courtesy of studio ghost
撮影：竹久直樹

会場となった新宿歌舞伎町能舞台、2022年、Courtesy of studio ghost
撮影：竹久直樹

小宮りさ麻吏奈《This is not self-replication》の一部。窓の向こうに見えるのがラブホテルの窓。2022年、Courtesy of studio ghost
撮影：竹久直樹

前にあらわれた「舞台」空間（そして、生死の境界から発されたバイタルサインとフリーズされた動物たち）が、イマジナリーな「翁」の舞台として立ちあらわれるかのようである。さらに、もうひとつのバイタルサイン、一九八六年の三原山噴火の音を録音した《三原山噴火テレフォンサービス音源》が音として放出される。渡辺は今回、この音をどうしても入れたかったという。リズムそして胎動としての火山は、それらが連なる列島にあるこの国に、美や大地の恵みとともに災害をもたらしてきた。当時、この噴火音を録音したNTT社員は、その音を「地球の鳴動」とよび、「胎動のようにうごめいていた」と述べたと渡辺は語っている。実はこの展覧会期間中、渡辺は妊娠中で、胎内では新しい命が胎動していた。渡辺は内部から突き上げるバイタルサインを、噴火音とつなげながら本プロジェクトを実現したのである。受精卵から分割した胎児は、特定のリズムや情報のフローに沿いながら、地球上の生命進化をなぞっていく。いうならば、ヒトとして形成されつつある存在が彼女をこのプロジェクトへと駆り立てたともいえるのではないか（中沢新一によれば、胞衣に囲まれて育つ胎児は「翁」でもある）[※9]。

渡辺は、「能にしかなしえないものがある。言葉ではもはや現代は救えない」という石牟礼の言葉から、当初は新作能を構想したという。それも天皇に関係するものを。皇居の近くで育った渡辺にとって、皇居とは身近でありながら管理された不可侵領域、つまり日常の中の異界であり、彼女ならではの天皇への遠くて近いアンビヴァレントな想いが芽生えた場所でもあるのだろう。屋内の能舞台から出発し、さまざまな作品に出会った上でたどり着いた歌舞伎町を見渡す屋上のもうひとつの「能舞台」は、人の欲や業、時代の推移、人間や非人間の生死や境界、そして感知できない有象無象の存在が時空を超えて交錯する場所のようである。能舞台も元来は屋外にあったことを思えば、まさにこの屋上が、さまざまな「まれびと」が交錯し、ふつふつと胎動する原初的かつ現代的な「翁」の舞台なのだろう。そして気づく。最初に足をふみ入れた能舞台の裏口からここに至るまでの行程すべてが、飴屋を核とする「翁」の渾身のパフォーマンス公演なのではないかと。

近代日本の二重性

飴屋はこれまで、東京グランギニョルやM.M.M.など自ら劇団を率いて実験的な演劇を行ってきた。今回のプロジェクトもその系譜にある。飴屋は長年の多様な活動において、一貫して遺伝子上のつながり（生物的な親と子の関係）を作品そしてパーソナルな側面で探求してきた。M.M.M.の《SKIN》（一九八八－八九年）においては、遺伝子というデータと化した父親と結合する息子が表現されており、「TOKYO 2021 慰霊のエンジニアリング」展（二〇一九年）の作品では、父の遺骨壺とともに自らの身体を展示し続けていたことが思い出される（飴屋はそれ以外の作品でも父の遺骨を何度か使っている）。そして今回は、飴屋が父として娘とのコラボレーションを「飴屋法水たち」名義で実現した。飴屋はまた並行して、他者や非人間たち——動物や死者、ロボット——など異種や異界とのコミュニケーションを先見的に開いてきた。彼の継続的な活動は、人新世やマルチスピーシーズ人類学という概念を先取りする実践として、現代においていっそう重要な意味を帯びている。

親と子という側面では、渡辺と胎児の関係が本プロジェクトを駆動させた大きな要因であったことは疑いがない。そして私の推測だが、飴屋や渡辺に共通する「親と子」的な言語を超えた関係をもつものの延長として、（遺伝子レベルではないが）天皇と日本人を挙げることができるのではないか。天皇は、飴屋や渡辺、そして私たちにとっても複雑な存在だが、日本という身体／システムに内包されてしまっている。飴屋が一九八八年の《SKIN》以降、テクノクラート名義の《ダッチライフ vol. 1 コンタミネイテッド》（一九九二年）を筆頭に、「日本ゼロ年」展（一九九九年）を経て《じめん》（二〇一一年）に至るまで、昭和天皇を作品にとり入れてきたこともその流れにあるのだろう。

安藤礼二は、折口と天皇について以下のように述べている。「折口が「民族論理」の要として抽出してきた天皇は、常に二重性をもっていた。［中略］折口信夫が抽出した天皇のもつ二

《囲炉裏（火）》に集う人々。右奥に見えるのが昭和天皇の「人間宣言」の一部、2022年、Courtesy of studio ghost
撮影：竹久直樹

第2会場の屋上。2022年、Courtesy of studio ghost
撮影：竹久直樹

第2会場の屋上に設置されたスピーカーからは《三原山噴火テレフォンサービス音源》が流された。2022年、Courtesy of studio ghost
撮影：竹久直樹

重性は、天皇を国家統合のシンボルにして国家の主権者とした列島の近代が孕まざるを得なかった二重性と対応しているように思われる。［中略］列島の近代化は、天皇という前近代的かつ「非理性」的な存在を統合のシンボルとしながら、近代的で「理性」的な国家を目指すという地点で完成を迎える。呪術的な祭祀の長が、そのまま近代国民国家——あるいはその近代国民国家を超えていこうとする帝国——の主権者となったのである」[※10]。前近代的なる天皇と、近代化という理性的な国家のあり方を矛盾のままに抱え込んだ明治以降の日本……。そこでは「翁」的なものも含むアニミズムが否定され、廃仏も進められた。その後、日本はアジア諸国の植民地化を行い、第二次世界大戦で敗戦したもののやはり天皇制を保持しながら近代化を推し進めた。このような矛盾をかかえた体制のもと、高度成長期には水俣病に代表される公害を、近年では福島第一原発における深刻な事故を起こしながらも、いずれも根本的な反省や対応がなされているとは言い難い。安藤はまた「折口信夫が見出した天皇がもつ最大の二重性といえば、ミコトモチとしての天皇の裏面にはホカヒビトとしての芸能民がいる、ということである。「王者」と「乞食」が、表裏一体の関係にあったのだ。厳密に言えば、折口信夫がまず考察の対象としたのは、実は「乞食」の方である」[※11]と述べている。ここでは天皇とホカヒビトの関係性とともに、折口が後者を重視したことがわかる。この折口の目線で眺めると、翁に顕著なホカヒビトによる芸能（能の起源）と歌舞伎町、そして天皇がつながってくる。

飴屋は今回、天皇のバイタルサイン（生から死へと向からグラデーション）を翁と結びつけた。こうしてこのプロジェクトでは、「翁」を介して一見相反するさまざまなものがつながっていたことがほのめかされた。それは、近代的な世界観ではとりなしえない倫理や摂理に満ちている。現代において、近代以前の叡智を感知し掘り起こし、それらと接続することは、美術や芸術、芸能という軛（くびき）から自由になり、人間と非人間、そして世界の根源と向き合うことであるだろう。このプロジェクトは、そのことを察知したさまざまな胎動が、稀にみるタイミングで同期することで実現したといえないか。中沢は、折口の「まれびと」と禅竹の「宿神」が、概念の背後に「胎動をはらんだ母体（マトリックス）状の超空間」を抱えていることで共通すると述べている。※12 本プロジェクトは、人新世そしてポストパンデミックの時代に、新宿・歌舞伎町の能舞台において、渡辺の妊娠をはじめとする多様で根源的な胎動による母体状の超空間を出現させた。

※1　平安時代から鎌倉時代にかけての宮中の歌謡で、「現代風」という意味をもつ。
※2　安藤礼二『折口信夫』講談社、二〇一四年。
※3　同右。
※4　同右。
※5　折口信夫「翁の発生」（一九二八年）、『古代研究II』角川ソフィア文庫、一九七五年。
※6　中沢新一『精霊の王』講談社、二〇一八年。
※7　ヘンリエッタ・ラックスの略称として「ＨｅＬａ細胞」とよばれる、ヒト由来の最初の細胞株。世界各地で流通するが、本人に無断で株化されたことに加え、アフリカ系であり女性であったことが近年問題視されている。
※8　ガラス瓶に密閉された放射性物質除去後の福島第一原発の汚染水。
※9　中沢新一、前掲書。
※10　安藤礼二、前掲書。
※11　同右。
※12　中沢新一、前掲書。

渦

螺旋の思考1　宇宙と生命の記憶

二〇二二年の夏は、新型コロナ感染症拡大による深刻な事態にもかかわらず決行された東京五輪が、なんともいえない後味を残した。そのような中、個人的には、何人もの知人に赤ちゃんが生まれたことが印象的だった。いずれもアーティストやアート関係者で、六月末に一人、七月初旬に二人、冬に待たれていた赤ちゃんが三人。彼らをはじめ、これから生まれる人たちが生きやすく、創造的な未来を開いていける土台づくりに少しでも関わりたいと思う。デジタル化を介して共創（共同創造）[※1]を推進するオードリー・タンが、「想像しましょう。私たちが良い祖先になることを」と言ったことに心から賛同しつつ。

「つわり」という言葉には、「芽が出る、変化の兆しが見え始める」という意味があるという。私たちも現在、一種の「つわり」の段階にいて、その中から新しい生命が育ち始めている。そのためにも慎重に、ときには大胆に動いていくことが求められている。

生命記憶をたどる

赤ちゃんは、小さいながら人間の形をとっている。それは受精卵が分裂を開始してから胎内にいる期間に、地球の生命進化という壮大な記憶を超高速でたどってきた結果である。三木成夫は著書『胎児の世界』でそれを「生命記憶」とよび、こう述べている。「三十億年もの〝原初の生命体〟の誕生した太古のむかしから、そのからだの中に次から次へ取り込まれ蓄えられながら蜿蜿(えんえん)と受け継がれてきたもの[※2]」

三木が影響を受けたドイツの生物学者エルンスト・ヘッケルは、「個体発生は系統発生をくり返す」と述べている。つまり人間は誰でも、魚類から両生類、爬虫類などを経て哺乳類となり、その上でヒトとして生まれてくる。原初の海ともいえる母親の胎内で起きるできごとは、あまりに壮大で、驚くべきメタモルフォーゼである。しかもおのずと生起している……。遺伝子情報を含むDNAはコードである。卵子と精子に内包されたDNAから、両者の特質をもつ生命体が生まれてくること、この非生命から生命への飛躍の境界領域がとても気になる。人をはじめとする動植物やさまざまな生命体、そして非生命。赤ちゃんの誕生から世界の起源を遡ると、やはり宇宙のことを考えざるをえない。思うに、時間と空間、異なる次元はつながっている。宇宙から生命まで、世界にあるすべてのものは流れとして存在し、流れがもつリズムがそこから形態を形成し、形態は空間を形成し、時間の中で変容し可視・不可視にかかわらず拡散していく。胎児も、DNAが細胞の中で生命へとつながり、点から線、線から面そして立体へとまるで襞を形成するようにしてなだらかに次元を増やしていく。隣接する次元は、つながり合いながら入れ子状になり、常に流動している……。

人間の身体は、位相幾何学的にはドーナッ状であるが、実際は循環器系や神経系など、数えきれない経路が複雑にめぐらされている。そしてねじれや絡まり合い、反転から成っている（神経系の左右のねじれ、DNAの二重螺旋構造、臍の緒など……）。身体は内部が外部に、外部が内部にねじれながらつながっている……クラインの壺のように。螺旋やねじれは、環境や宇宙など世界の原理としてあまねく存在し、人間の身体もそれに沿って形成されている。

生々流転する世界と螺旋

宇宙物理学者の村山斉は、著書『宇宙は何でできているのか[※3]』の中で、「私たちの体は超新星爆発の星くずでできている」とし、私たちを含む地球の素材は宇宙から来たものであるという。また宇宙には、エネルギーが流動し、自然界をなす物質には四つの力（強い力・電磁気力・弱い力・重力）がはたらいているとも。生命や非生命、物や現象、精神も含め、現存するものは、過去から未来へと連なる物質の流動と生成・絡まり合い・分散・派生などエネルギーをともなうプロセスのただ中にある。このような世界観を他の文献からもいくつか引用してみたい。

パンタレイ（panta rhei／万物は流転する）——**ヘラクレイトス**

ゆく河の流れは絶えずして、しかも、もとの水にあらず。淀みに浮かぶうたかたは、かつ消え、かつ結びて、久しくとどまりたる例なし——**鴨長明[※4]**

どの物体もそれに接触しているものから影響を受け、そのものに起こるすべてのことを何らかの仕方で感知するばかりでなく、自分に直接接触している物体を介してこの物体に接触している別の物体のことを感じるのである。その結果、このようなつながり合いはどんな遠いところにも及んでいくことになる――ライプニッツ[※5]

われわれは、絶えず流れてゆく川からなる川の中の渦巻きに他ならない。われわれは持続的に存在する物ではなく、自己持続的に存在するパターンである――ノーバート・ウィーナー[※6]

これらの言葉は紀元前五〇〇年前後のギリシャの自然哲学者、鎌倉時代の随筆家、十八世紀ドイツの哲学・数学者、そして二〇世紀の数学者（サイバネティクスの提唱者として知られる）によるものであり、時代や場所、分野を超えて、流動性に基づいた世界観を見ることができる。世界を絶えず流動する時間と空間として捉えると、カオスから秩序が生まれ、そしてまたカオスへ戻るというように往還し続けていく動的な世界観があわられる。固定した物に見えてもマクロな時間スケールの中では動き、同時に今もまさにミクロな時間の中で微細に振動し変化していて、人間の知覚や最先端の科学・技術の粋を駆使しても、決してその全貌は感知しえない。

情報が完全に均一化したところには、事物も現象も発生せず、異なる情報が存在すると、それらの境界の歪みから新たな動きや流れが生まれる。それは直線ではなく（自然界に直線は存在しない）曲線となり、その延長として渦巻きや螺旋が生まれていく。つまり、あらゆる形態も物質も、情報の流動の軌跡や痕跡とみなすことができるのではないだろうか。星雲、大気の流動（雲、台風、竜巻、煙……）、渦潮、ゼンマイや巻貝、人間のつむじなど動植物の形態やパターン、DNAの二重螺旋……。自然界には、ミクロやマクロのスケールを超えて渦巻きや螺旋のパターンが至るところに見られる。またフラクタル（自己相似形）構造も多く見ることができる。フラクタルについては、たとえば地形（リアス式海岸など）や植物の葉、人間の身体（血管の分岐や腸の内壁など）において以前から知られていたものの、一九六七年にフランスの数学者マンデルブロが幾何学の領域でこの概念を提示して以来、一九八〇年代にコンピュータ・シミュレーションによって研究が進められた。それと並行して一九七〇年代以降、コンピュータ内で生命的なものをシミュレーションする「セル・オートマトン」（格子状のセルと単純な規則による離散的計算モデル）が注目され、一九八〇年代以降研究が進展した。そこではそれぞれの分子や単体がシンプルなルールをもち、ボトムアップ的に稼働することで複雑なパターンが生み出され、ダイナミックな変動が起きていく。

これらはいわゆる「複雑系科学」とよばれ、ミクロやマクロのスケールや素材を横断してこの世界で現象が生起するシステムを研究する領域横断的アプローチとして、気象や生命、結晶や乱流、そして交通渋滞や株価変動などにも応用されている。複雑系科学から見ると、自律的なものと環境的な要因が絡まり合って、私たちの意識や行為が一瞬一瞬生み出され、それが環境へと物理・情報的に派生し、さらにそれが新たな世界の生成要因となっている。

情報のフローから次元をつなぐ螺旋へ

出産直前の女性を撮影した作品を、かつて展示したことがある。高嶺格の《海へ》（二〇〇五年）という映像作品で、映っているのは女性の顔である。放心状態で、見えないエネルギーやリズムに支配されているかのような女性は、高嶺の妻で、第一子出産直前の表情が捉えられている。高嶺は、そこに「未来永劫の野生と完全に一致している」姿を見たという。受精卵が胎内で生命進化の歴史を経て、ついに外へと「出力」される前の境界領域……生々しく、一種の畏怖さえ覚える。キュレーターとしてこの作品の隣に同じサイズで展示したのが、ロバート・スミッソンの映像作品《スパイラル・ジェッティ（螺旋状の突堤）》（一九七〇年）である。米国ユタ州のミネラル分が濃いグレート・ソルトレイクにアーティスト自ら石による螺旋状の突堤を造成、水位や気象、季節に応じて螺旋内外の各所で起きる変化（濃度、色、結晶化……）は、ミクロなレベルだけでなく、自ら操縦するヘリコプターからのマクロな俯瞰が想定されている（映像では、プロペラの旋回で起きる風の水面や生態系への影響も作品の一部に組み込まれている）。「螺旋を中心へ向かうことは、私たちの起源へと戻ることだ」と語るスミッソンは、自然環境の中に見られる螺旋の形態を人工的に差し込むことで、新たな生態系を創出した。幼少時に自然史博物館に魅了されていた彼は、自身のプロジェクトを地球史的な壮大な時間スケールで自然や社会に投げかけた。本人は早世してしまったが、《スパイラル・ジェッティ》は今も現地に存在している。展覧会ではこれら二作を並べることで、ミクロ／マクロ、身体内／自然環境にかかわらず、絶えず生起する情報のフロー（入出力や流動と結節）のプロセスを「自然」という側面から提示した。それは同時に、対立するとされがちな無機物と有機物、生命と非生命の境界をつなげる試みでもあった。

古来から人々は、渦巻きや螺旋のパターンや文様を重視してきた。それらは縄文、ケルトやアイヌなど世界各地の文化で見られるが、いずれも世界の根源的な流れやシステムを感知し、文様とすることで自然への畏敬や祈りをあらわしている。それは直線的・進歩史観的な時間（クロノス）ではなく、自然のリズムに沿って循環し、反復する時間性（カイロス）に基づくものである。たとえば波紋にあらわされた波は、天体の運行や引力、海流や風（いずれも方向や強さ、温度や成分）、地形、地殻変動など複数の要因によって起きる。反復するけれど、ひとつとして同じものはなく、移動することで相互に干渉し、新たな波が生まれていく。

ややや話がとぶが、二〇二一年六月末に福島・楢葉町でサーファーの友人に誘われ、なんとサーフィンを初体験した！（ずっとやってみたかったが、一生その機会はないと思っていた）サーフボードに立つまでに至らず、遠浅の海でボード上でバランスをとりながら波に乗るのでめいっぱいだったが、それぞれの波の方向や高さ、強さが違う中で、不確定な流れを感知し、それと共振しつつバランスをとることはヨガに、そして人生に似ていると感じた。先に引用したウィーナーが提唱した「サイバネティクス」は、ギリシャ語で「舵を取る」という意味の語からの造語で、天体や気象や波の状況を繊細に感知して舵を取る、という生存のために最重要な狩猟採集的世界に由来する。サーフィンは、さまざまな機器やシステムに補完された私たちが失いがちな直感を取り戻すことの大切さを教えてくれる。

空間というのは何もないのではなくて、さまざまな情報（成分、流れ、気圧、湿度、電磁波……）が充満している。そこでは異なる流れが関係し合い、ときには合流し分岐しながら強度を変えて移動している。螺旋の動きは、台風や竜巻ほど大規模でなくても至る所で起きている。自分の呼吸やふとした動作でも空気が動き、周囲のものに影響を与えていく。蝶の微細な羽ばたきが、遠方に台風を招くというカオス理論のたとえのように、ミクロとマクロのスケールを超えてあらゆるものが、時間と空間を超えてつながっているように感じる。渦潮は、異なる位相の流れ（温度、濃度、速度、方向など）が出会い、絡まり合って生まれるが、その渦が同時にまた別の動きを派生させていく。受動的であるとともに、能動的であること。それは他のさまざまな現象（物質化したものも含めて）においてもいえるのではないだろうか。

螺旋はまた、動的に延長されることで、異なる次元をつなぐように思われる。一次元から二次元、二次元から三次元、そして……。次元をつなぐこと、つまり反復による持続的な運動のプロセスが、境界を突破しうる。たとえばメビウスの輪やクラインの壺のように、表と裏が反転してつながり循環しているイメージは、次元では時間軸へと展開したり、四次元以上へと想像的につながっていったりする。そこには直線的で均質的な時間や空間は存在しない。

考えてみれば、近代において時間や空間が直線性を基盤に均質化されてしまったことが、人類の歴史における非常に特殊なバイアス（矯正具的な意味で）だったともいえるのではないだろうか。もちろんこのバイアスによって、近代科学・技術は飛躍的な発展を遂げたのであり、私たちはその恩恵を享受している。近代のもたらした良い側面を保ちつつ、ここ約三百年で失われた循環的な時間や空間との関係を取り戻すこと。それは私たち人間を自然の一部として再発見することであり、人間と人間以外の存在（生命、非生命を含めて）との親密さを取り戻すことでもある。

連綿と循環する時間と空間、情報の入出力が相互に起こり、ひとつの生態系を形成する……、たとえばカエルの合唱やホタルの点滅の同期のように。そんな自然に見られる創発的な現象をメディアアートで実験的に試みるプロジェクトのひとつに、ロバート・デイヴィス＋ウスマン・ハックの《Evolving Sonic Environment（ESE）》（二〇〇六年）がある。サイバネティクスの研究者ゴードン・パスクらに触発された作品で、高周波によって自律的に「対話」を行う音響デバイスによってネットワーク化された音の生態系を創り出すものである。暗い空間に天井から吊り下がったいくつものアナログデバイスには、それぞれマイクとスピーカーが搭載されていて、入出力をくり返すことで、ボトムアップで音の生態系が浮上する。体験者が入ると、その存在と動きによって生態系の安定性が破られるが、次第に修復され、新たな生態系へと移行していく。

日本では、同じ年に三原聡一郎＋斉田一樹＋むぎばやしひろこが自律分散協調システムを用いたサウンドインスタレーション《moids ver.1》を発表し、《ESE》と異なり、オープンな環境で不確定的な音の創発を浮上させている。この作品の最終バージョン、三原聡一郎＋斉田一樹《moids ∞》が二〇一八年に展示され、天井から数百個のデバイスやケーブルが吊られた空間があらわれた。デバイスは、無限大の記号の形を折りたたんだ球状のワイヤーフレームに基板が付いたもので、相互の音の干渉に加え、環境音や人々の声を拾いながら連

高嶺 格《海へ》(新バージョン、2005年) ＋ロバート・スミッソン《スパイラル・ジェッティ(螺旋状の突堤)》(1970年)、「オープン・ネイチャー——情報としての自然が開くもの」展、NTTインターコミュニケーション・センター[ICC]、2005年、筆者キュレーション　撮影:木奥恵三　Courtesy of ICC

ロバート・デイヴィス＋ウスマン・ハック《Evolving Sonic Environment》、「コネクティング・ワールド」展、NTTインターコミュニケーション・センター[ICC]、2006年、筆者キュレーション　撮影:木奥恵三　Courtesy of ICC

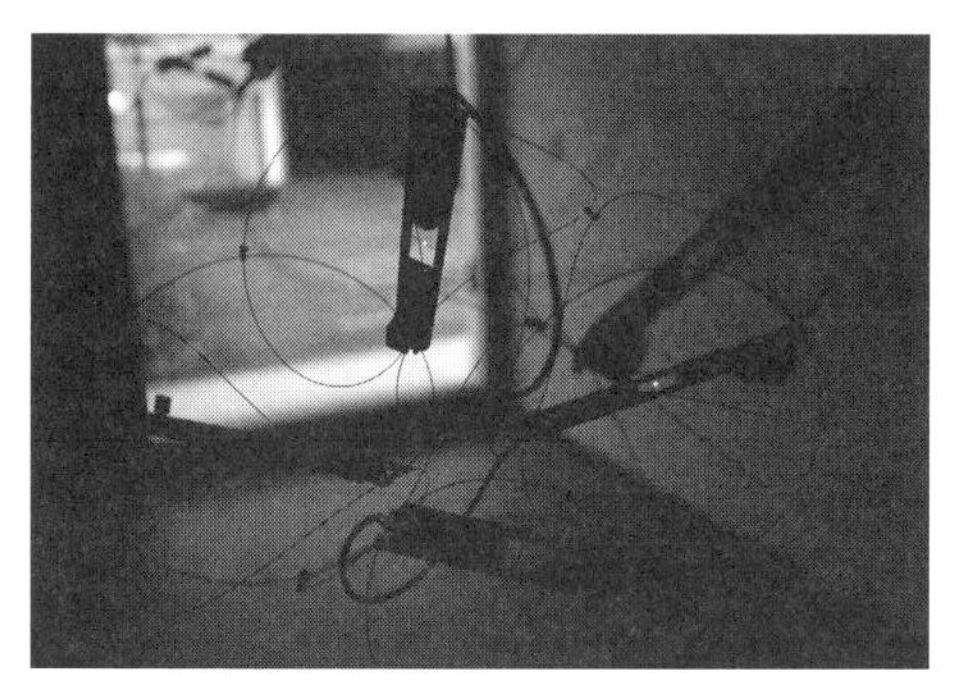

三原聡一郎＋斉田一樹《moids ∞》2019年、「空白より感得する」展

鎖的に反応が変化する。デバイスからは、ニューロンの発火を思わせるスパークが微細な音とともに発せられる。空間に入ると、宇宙の始原から生起し続ける現象へと接続されるようにさえ感じられる。

さまざまな情報が、入出力によって連鎖的に、多様な現象を引き起こしていく場。メディアアートは、世界で常に起きている不可視の現象を新旧のメディアを駆使して切り取り、別の形で可視化・可聴化する側面をもつ（と私は思う）。そのことによって、作品体験後に、世界の見え方が変容し、日常の中での想像力が喚起されていく。

螺旋――自然のシステムと絵画

「オートポイエーシス[※7]」についての思考と実践を展開する村山悟郎が、個展「ダイナミックな支持体――Support Dynamics」（二〇二二年）で提示したのは、一対のように並ぶ絵画とドローイングが次第にそのスケールを拡張し、五段階として展開された螺旋の軌跡としての作品群である。絵画は矩形の額に収まっているが、実は全体が複数のキャンバスに分割されていて、中心から左巻き螺旋状に小さな正方形のキャンバスが配置され、それらの上に描かれた絵画も、中心の起点から左回りに外へと旋回している。それを追っていくと、螺旋状の動

村山悟郎個展「ダイナミックな支持体—— Support Dynamics」、5段階で展開される作品の1段階目、西武渋谷店B館8Fオルタナティブスペース、2021年　筆者撮影

村山悟郎個展「ダイナミックな支持体—— Support Dynamics」、5段階で展開される作品の5段階目、西武渋谷店B館8Fオルタナティブスペース、2021年　撮影：村山悟郎

きを感じてめまいを覚える。作品はいずれも、自然界に見られる黄金比を基盤にサイズが設定され、螺旋状に展開するプログラムといえるが、ドローイングは村山が身体を介して物質化する作業による。描画は、タッチがキャンバスを超えて螺旋を形成するように、それぞれ上下を設定して行ったといい、その集積が絵画全体で流れるような螺旋を形成している。

自然界に見られるフィボナッチ数列が生み出す螺旋は、世界でもっとも美しい螺旋とされる。黄金比に近いという。そしてこの数列は、フィボナッチ数列の隣同士の数の比は、黄金比に近いという。そしてこの数列は、フラクタルにも包含されている。村山は、自然に見られる螺旋というシステムと、黄金比を許容する矩形の絵画とを連結し、螺旋的な身体の運動やそこから生じる差異によって作品を生成させる。小さな絵画からより大きい絵画の五段階はつながっていて、壁や額で隔てられてはいるものの、その間に螺旋を想像することができる。最大の絵画は、その次段階を含め延々と大きくなる螺旋と絵画を、最小の絵画は、それに至る螺旋の限りないプロセスを見えなくなるサイズまで想像させる。そうなると、ミクロからマクロの螺旋状の動きが作品の背後に展開されていて、展覧会ではその中の一部、つまり人間の身体や空間のスケール、人間が知覚可能なスケールのみが物質化・可視化されているという解釈さえできるだろう。螺旋といえば、村山がその前の個展「Painting Folding」（TSCA、二〇二〇年）において、織物絵画の新作として、新型コロナウイルスのタンパク質の螺旋構造を三次元へと展開させた作品を展示したことも付記しておきたい。

※1　京都府域展開アートフェスティバル「ALTERNATIVE KYOTO──もうひとつの京都」キックオフフォーラム「想像力という〈資本〉──来るべき社会とアートの役割」基調講演、京都文化博物館、二〇二一年。本書P324参照。
※2　三木成夫『胎児の世界』中央公論新社、一九七三年。
※3　村山斉『宇宙は何でできているのか』幻冬社新書、二〇一〇年。
※4　鴨長明『方丈記』（一二一二年）の一節。
※5　ライプニッツ「モナドロジー（哲学の原理）」西谷裕作訳、『ライプニッツ著作集9後期哲学』工作舎、一九八九年（原書は一七一八年）。
※6　ノーバート・ウィーナー『人間機械論──人間の人間的な利用』鎮目恭夫・池原止戈夫訳、みすず書房、一九七九年（原書は一九五〇年）。
※7　マトゥラーナとヴァレラが一九七三年に提唱した生命における自己制作的で自己決定的なシステム。

螺旋の思考2　持続というリズム

自然に見られる黄金比

二〇二一年九月二十九日、大型で非常に強い台風十六号（ミンドゥル）が日本の南の海上を北に進んでいた。台風の形状が巨大な螺旋であることにはいつも感動する。フィボナッチ数列が生み出す螺旋は黄金比に近い、と前述したが、動的な大気の現象も例外ではない。自然の造形ではヒマワリの種や松かさ、オウムガイの殻などにフィナボッチ数列が見られる。ヒマワリを例にとると、もっとも多くの種を収められるこの配列が、子孫を残すために最適だという。生存のために合理的な形態をとり、その背後に数学的な比率があること。そのことを知らなくても、私たちはヒマワリの種の並びに美と驚きを感じてしまう。

自然と数学、そして美がなだらかに共存している不思議さとともに、なぜこのような形態が生まれ、なぜ私たちはそこに美を感じるのだろう、と思う。世界の成り立ちや今に至るプロセスを思い、私たちの心や美意識がどのように形成されているのだろう、とも。レイチェル・カーソンは、自然に触れて不思議だと感じる感覚を「センス・オブ・ワンダー」と述べたけれど、世界には不思議が満ちあふれ、その背後には何らかの規則が横たわっている。

螺旋はスケールを超え、自然のさまざまな物や現象にあらわれる。世界はカオスと秩序の往還で成り立っていて、螺旋は後者の状態に当てはまるのだろう。考えてみると螺旋は、物質であってもそれが形成されるまでに時間を要するものであり、情報のフローの軌跡もしくはその時点での状態とみなすことができる。

貝殻とプログラミング——近藤テツの世界

アーティストで、ビジュアルコーディング言語Processingに二〇〇一年の黎明期から関わってきた近藤テツは、二〇〇〇年代前半から貝殻、とりわけ巻貝の絵を描き続けている。オウムガイの殻にはフィボナッチ数列が、イモガイにはセル・オートマトンの模様が見られ、これらの巻貝は螺旋構造をもっている。近藤が本格的に貝殻の絵を描き始めたのは、プログラミングでフラクタル図形を描いたり、自然現象をシミュレーションしたりしていた頃である。もともと絵を描くのが好きで、コンピュータでも自分の手の動きやペン先の触感を表現できないかとひたすら実験していた彼は、とある寒くなり始めた秋の日、コニーアイランドのビーチで貝殻を拾い、掌に載せてまじまじと見た。そして、同じ貝がこの世に二つとして存在していないとあらためて感じたという。「その螺旋構造は完璧すぎるほど完璧で、すでにコード化されています。それからなぜか貝を描くようになりました」[※1]。彼は貝殻の螺旋の美にコードを読み取ったのだった。彼の言う「コード」は、プログラミングコードであり、また自然に存在する規則でもあるだろう。

学生時代から哲学、民俗、宗教、文化に興味をもっていた近藤は、一九九九年にIT技術を学ぶため米大学院に留学、ニューヨーク大学インタラクティブ・テレコミュニケーションズプログラム（ITP）でフィジカルコンピューティングを専攻しながら、絵画や楽器の演奏（ディジュリドゥなど）とテクノロジーを掛け合わせた作品や楽器を作り始めた。同大学の客員研究員時代、ケイシー・リースらが少人数で開始したProcessingに出会い、自身の中に新たな源流がほとばしるような衝撃を受けたという。「紙やペンを扱うように純粋でわかりやすい」と、このプログラミング言語の虜になり、リファレンスの日本語訳などを開始し、二〇〇〇年代半ばに帰国した。

近藤は予想もしなかったと言うが、その後のProcessingの世界的な普及は知られる通りである。本人はいたってマイペースで、日本の学生たちにプログラミングやメディアアートについて伝えることに専念し、二〇二一年に二十周年を迎えたProcessingのウェブサイトの移

台風やひまわりの種など自然の中にはフィボナッチ数列が生み出す螺旋形がある
左｜台風 ©NASA / PIXTA　右｜ひまわり ©masa / PIXTA

行をボランティアで行ったりもしている。ピュアなタイプで、世間の喧騒から距離を置き、ヴィパッサナー瞑想とともに静謐な世界に生きている。アナログの道具や手とともに思考を紡ぐ彼にとってのプログラミングは、独自の詩的な感性と共鳴しているのだろう。「螺旋と貝についての考察」の冒頭は、以下のように始まっている。

この地球、もしくは宇宙にある大きな太古からの螺旋の流れの中に私たちは小さな螺旋をもって日常を送っています。人間が作り上げたシステムという螺旋もあります。最近はインターネット内にも螺旋が広がっています。人々がオフラインで奏でていた美しい詩や物語は、もうプログラミング言語に絡まって身動きが取れない状態になっているのではないかと感じます。——近藤テツ※2

コンピュータは自然のシミュレーションや新たな造形を

可能にした。しかし豊かな創造は、私たちが生きる実空間の手ざわりや重み、空気を伝わり共有される音や匂いや振動など、フィジカルな感性を抜きには語れない。貝を描き続けることで近藤は、生命に潜む螺旋、いわば自然のアルゴリズムと、身体や意識で共振する。それは終わらないセンス・オブ・ワンダーの体験であるだろう。

生命と非生命のあいだ

吉本隆明は「生命について」という講演[※3]で、三木成夫による生命現象の基本要素に以下の二つを挙げている。ひとつは螺旋で、たとえばアサガオのつると葉の伸び方は左巻きの螺旋状、人間も出産のとき、胎児が螺旋状に回りながら出てくる（またへその緒も螺旋を形成している）という。もうひとつがリズムで、天体や人間の身体、人間以外の生体の成長とリズムは関係が深いという。螺旋とリズムは、相互に関係しているように思われる。螺旋が形成される際には時間軸をともなうが、そこにリズムが関わるのではないか。むしろリズムによって螺旋が生まれるのではないか。たとえば心臓の鼓動は、平静な状態では規則的に感じられるが、毎回揺らぎがあり、同じものは一度としてない。生命は生きていて、カオスの中に秩序を、秩序の中にカオスを潜ませながら循環している。心臓は血液を送り出すが、その流れに

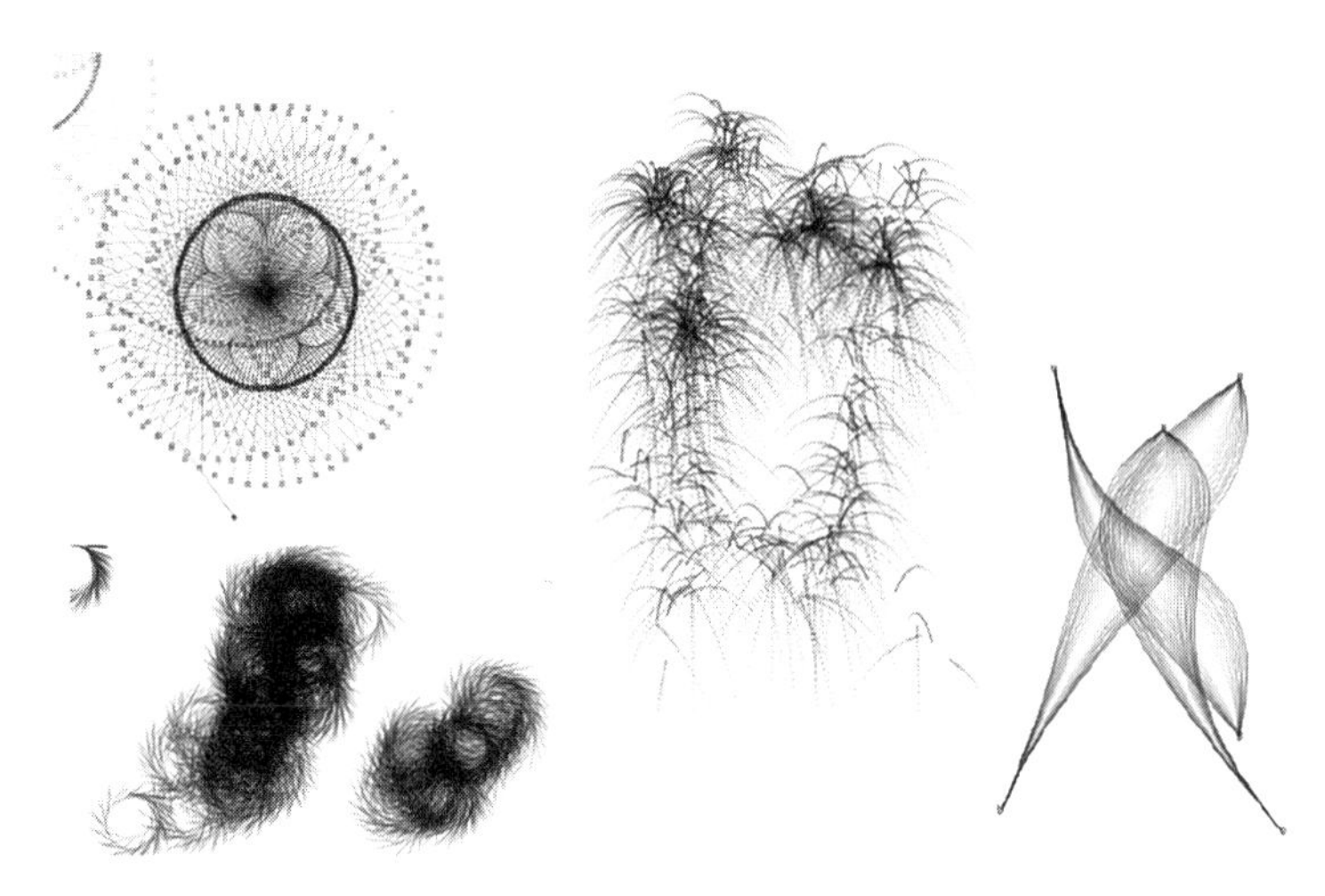

近藤テツ、Processingスケッチ、2003–04年頃

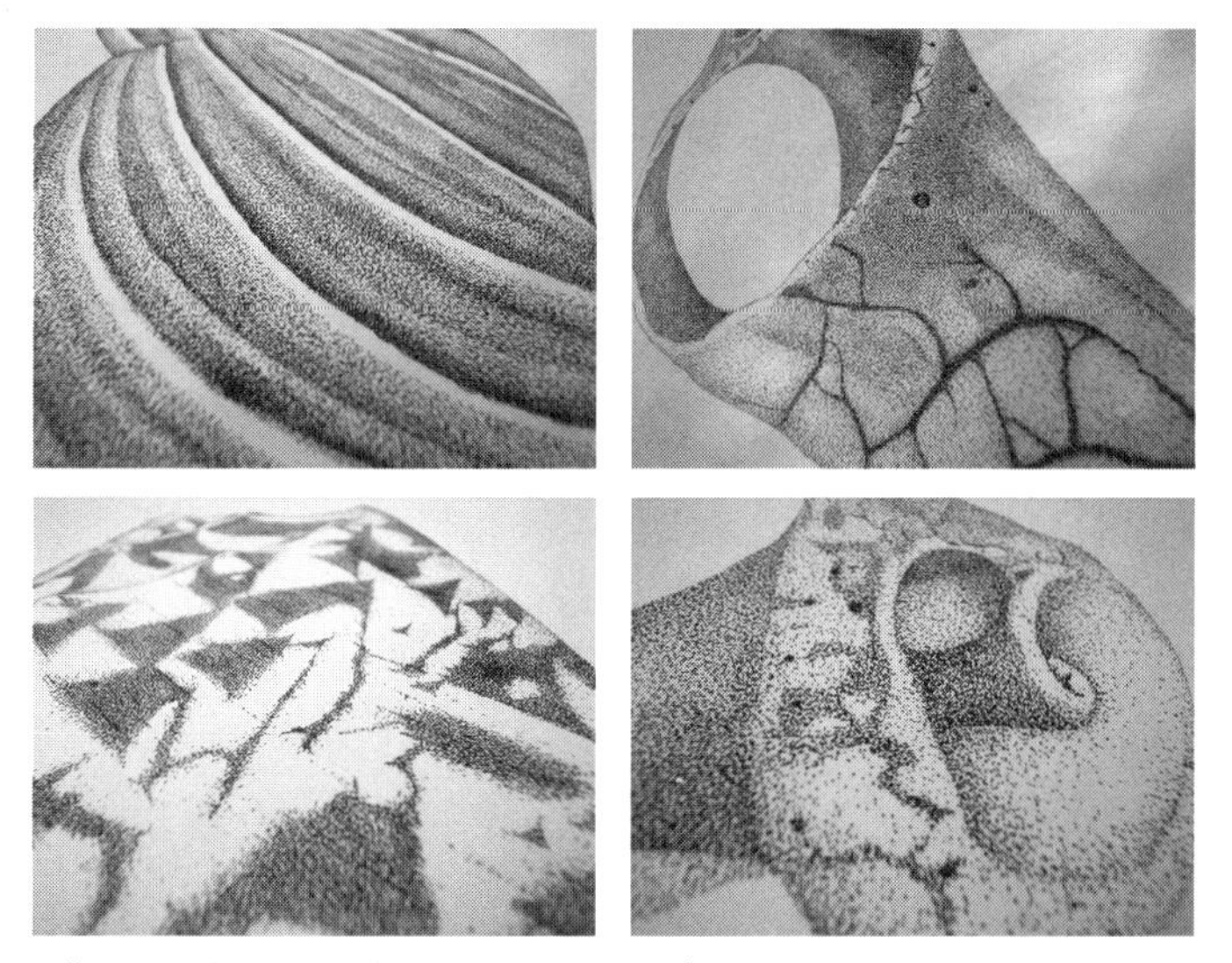

近藤テツ、貝殻の絵、2005年、油性ペン・イラストボード、55×80cm

も螺旋が存在しているだろう。

イアン・スチュアートの『自然界に隠された美しい数学』[※4]の螺旋に関する記述の中でもとりわけ興味深いのは、粘菌が移動する際に描く螺旋模様である。コロニーの集団が大きくなると小グループに分かれ、ゆっくり回転しつつ移動する。時間が経つと集団の密度が高くなり、螺旋の渦がきつく巻かれ、渦巻きが崩れ、分かれて流れる模様になるという。この軌跡はあたかも貝殻のような螺旋を成している。

生命は、（1）外界と膜で仕切られている（2）代謝（物質やエネルギーの流れ）を行う（3）自分の複製を作る、の三つを満たすとされている。福岡伸一は、『生物と無生物のあいだ』において、生化学者ルドルフ・シェーンハイマーの「身体構成成分の動的な状態（The Dynamic State of Body Constitution）」という言葉を紹介して、続けてシェーンハイマーの以下のテキストを引用し「新しい生命観誕生の瞬間だった」と記している。

> 生物が生きているかぎり、栄養学的要求とは無関係に、生体高分子も低分子代謝物質もともに変化してやまない。生命とは代謝の持続的変化であり、この変化こそが生命の真の姿である。——**ルドルフ・シェーンハイマー**[※5]

福岡は、「生命とは動的平衡（dynamic equilibrium）にある流れである」と述べ、「動的平衡」は、シェーンハイマーの「動的な状態」という概念を自分で拡張したものとする。そのシェーンハイマーに遡ること約百三十年、ゲーテは以下のように書いている。

分かれることも集ることも、変貌し特異化し、そして、現れ消えることも、固まり流れ、拡張し集中するのも、すべて生ける統一体の基本特性である。——ゲーテ[※6]

また生態学者の今西錦司は、『生物の世界』において以下のように書いている。

すなわち相異に着眼するならば人間、動物、植物、無生物というごときものはそれぞれ異なったものであろう。しかしまたその共通点に着眼したならば、人間、動物、植物、無生物はすべてこれこの世界の構成要素であり、同じ存立原理によってこの世界に存在するものであるということができる。しからば生命といえどもこれをかならずしも生物に限定して考えねばならない根拠はないのであって、この世界に生命のないものはない、ものの存在するところにはかならず生命があるというように考えることによって、この世界を空間的即時間的であり、構造的即機能的であるとともに、それはまた物質的即生命的な世界であるといったよ

うに解釈することもできるのであろう。——今西錦司[※7]

二〇世紀前半に今西の述べた生命観は、一九八〇年代以降の複雑系科学において、気象や宇宙の星雲などのマクロおよび素粒子などミクロのスケールからコンピュータ内のカオス的な系の変化をとらえたアトラクターに至るまで、新たなかたちで浮上しているのではないか。また生命と非生命の境界は、一九八〇年代のコンピュータが可能にしたシミュレーション以降、容易には定義できなくなっている。一九八七年には、クリストファー・ラングトンがコンピュータ内の生命のシミュレーションを「人工生命」と名づけている。ウイルスなど、非生命ではあるが生命的なふるまいもする存在をはじめ、気象の流れや河川の移動、地殻変動など、生命ではないものの長期的な視点もふまえると動的で生きていると解釈したくなるようなものもある。そうなると地球や宇宙までも広義の「生命」——生命科学の「膜をもつ、代謝、複製を行う」という定義を超えた——とみなすこともできないだろうか。慎重になる必要はあるが、科学・技術のあり方自体も含めて問い直していく時期であるように思われる。

木本圭子——見えない情報を可視化すること

木本圭子の《イマジナリー・ナンバーズ》（二〇〇三年、口絵P3参照）は、自然に見られるような曲線や螺旋がコンピュータ上で描かれた作品である。美しい造形は、本人が描いたのではなく、非線形力学系のシンプルな数式の演算による。多摩美術大学でテキスタイルを学んだ木本は、八〇年代前半に登場したアップル・マッキントッシュに出会い、自分の表現を消そうと試行錯誤の中でプログラミングを独学した。作品の生成をコンピュータに委ねたが、実際に出てきた映像に出会ったときは非常に驚いたという。「ロジックで出てきたものなのに、ロジックで理解することができなくて。面白いとは直感したけれど、理由がわからなくて戸惑った」[※8]。その後、木本の活動は、非線形科学やメディアアートの分野で注目されていく。

二〇〇八年から二〇〇九年にかけての長期展示で、私がキュレーションした木本圭子の「多義の森」（NTTインターコミュニケーション・センター［ICC］）では、《イマジナリー・ナンバーズ》の静止画、動画での展示とともに、リアルタイム演算で生成する映像の実験を行った。《イマジナリー・ナンバーズ》の数式を同時に多数走らせ相互に結合させたシステムで、生命体のようにリアルタイムで絶えず変化する生成画像の中に、個々の振動からは予測できず全体で初めて発現する複雑な様相があらわれた。初期値やパラメータを変えながら何度も行うと、多様な形態やリズムの中に、自然に潜むような多様性が見い出せた。

木本は近年、生成した映像を異なる質感の和紙にプリントアウトし、日本画の岩絵具で繊細になぞる作品を作ってきた。現在は海辺の近くに住み、刻々と変わる自然と感応しながら墨絵に没頭しているという。「弓道で的を見ず、空気の流れを見るように、描いているとき、形ではなく墨の濃淡とにじみだけを見ていると、空気が立ち上がってくる」[※9]。対象ではなく、見えない空気や関係性からおのずと世界が創出され得るという視点、それは《イマジナリー・ナンバーズ》から一貫している。木本は常に、自分に必要なメディアや素材を使ってじっくりと作品に取り組んできた。アナログの素材感をふまえた上で、パソコン黎明期から三十年ほどコンピュータを使い、その後、岩絵具を経て現在の墨絵がある。メディアアーティストというイメージで語られがちだが、道具や技術の違いにかかわらず、作品そのものに彼女の本質が結実している。

池上高志に聞く、螺旋と対称性について

螺旋や渦巻きを人工的に生成させる方法に、「テイラー・クエット・フロー」がある。一九

世紀末のフランス人科学者モーリス・クエットの実験を二〇世紀前半に英国の応用数学者ジェフリー・I・テイラーが発展させたもので、二重の円筒の間に液体を閉じ込めて、内側の壁面を回転させ速度を上げると円周方向に沿って渦が生まれて波打ち始め、やがて乱れ始める。流れの断面は、時計回りと反時計回りの螺旋が交互に層を成している。複雑系科学者の池上高志とアーティストの渋谷慶一郎がこの装置を使って水のパターンをリアルタイムで音に変えた試みが、《Description Instability 記述不安定性》（二〇〇五年）である。視覚化のためにアルミの粉を水に混ぜ、パターンの変化をCCDカメラで撮影、各画像を音の大きさとして進化アルゴリズムを経由して変化させる。この作品では、パターンが二次元的にキャプチャされ、「ホワイトノイズではない構造のあるノイズ」（渋谷）が生み出された。

池上と渋谷は、二〇〇六年の《filmachine》や二〇一〇年の《Mind Time Machine（MTM）》以降、最近は《Scary Beauty》[※10]（二〇一七年）などとコラボレーションを継続するが、それらは身体と意識、記憶のループ・システムや、人間とアンドロイドの身体性や意識の相互転移的な問題系へと展開してきている。

この世界で生成する螺旋について池上に聞くと、まず「キラリティ（三次元の図形や物体、現象を、その鏡像と重ね合わせることができない性質、「カイラリティ」ともよばれる）」という言葉とともに、黒田玲子の『生命世界の非対称性』[※11]を紹介された。地球上の動物は、外見上おおむね左右対称だが、アミノ酸や核酸など分子レベルではバランスが大幅に崩れていて、それが生命の起源や宇宙の非対称性などの問題を解く鍵も握る、と本のカバーに書かれている。同書やいくつかの文献に目を通す中で、世界にある対称性の問題が見えてくる。貝の螺旋は圧倒的に右巻きで、人間にも右利きが多い。ＤＮＡの螺旋構造は右回りである。地球上のすべての生体細胞の中心には、核酸の右巻きの螺旋があるという。宇宙空間的な意味では、私たちの宇宙のあらゆる原子は、弱い右回りだとも。台風は北半球では反時計回り、南半球では時計回りの螺旋になっており、高気圧はその逆である。螺旋を見ていると、左右という世界の非対称性に突き当たり、そもそも宇宙が非対称であることに思いを馳せる……存在の深淵は、ふだん見かける形態や現象に潜んでいる。

持続がリズムをもつ、もしくは持続というリズム

世界は非対称であり、自然に見られるあらゆるものは、シンプルなルールにのっとりながらも実際の環境に応じて時間的な持続の中で形成され、ひとつとして同じものはない。流れが形を作り、その形が現象や物として顕現する。そこでは螺旋という動的なプロセスが稼働している……。

木本圭子「結合振動子、または反応拡散系を用いた作品実験」、「オープン・スペース2008」(NTTインターコミュニケーション・センター[ICC]、2008–09年)より、筆者キュレーション

Super Turing＝池上高志＋渋谷慶一郎《Description Instability記述不安定性》2005年、NTTインターコミュニケーション・センター[ICC]　Courtesy of ICC

宇宙の始原から、私たちが想像できないほどの時間や空間スケールで起きている物理的、科学的作用は、人間を含む動植物の生成変化にまで至っている。その背後には、一種のプログラムが見出せる。ループするリズムは、物理的な空間の中で差異を取り込みながら稼働し続ける。ミクロやマクロのスケールで起きる螺旋は、絡まり合うことで新たな螺旋へと発展したり、減衰したりしながら新たな螺旋へとつながっていく（そして私たちもそのただ中にいる）。ドイツの哲学者ルートウィヒ・クラーゲスはかつて、「拍子は反復し、リズムは更新する」と述べたが、世界で生起している螺旋も反復ではなく、更新なのではないだろうか。螺旋とリズムについて、最後にひとつ引用しておく。フランスの哲学者ベルクソンの時間論の重要な概念である「持続」と「リズム」について、哲学者の合田正人が熱を帯びながら読み上げたくだりである。

「リズム（rythme)」は反復を含まず「途切れることなく無際限に」続いていく。［中略］「rythme de la durée」というベルクソンの言い回しは、「持続がリズムをもつ」というよりも、いや、そのような意味に解されると同時に「持続というリズム」とも解すべきではないか。ベルクソンにあって、rythme は持続という質的多様体もしくは動くもの（mouvant）の「総体」が纏う可変的なフォルムないしスキームである。——合田正人[※12]

持続がリズムをもつ、もしくは持続というリズム……螺旋はそのようなプロセスから生み出され、時間の経過によってまたほどけ、次の螺旋へと派生していく、可視／不可視を超えた世界そのものなのかもしれない。

※1　近藤テツ「螺旋と貝についての考察」二〇二一年、筆者の依頼により作成。
※2　同右。
※3　吉本隆明「生命について」（一九九四年）、『心と生命について——吉本隆明〈未収録〉講演集2』筑摩書房、二〇一五年。
※4　イアン・スチュアート『自然界に隠された美しい数学』梶田あゆみ訳、河出文庫、二〇二一年（原書は二〇〇一年）。
※5　福岡伸一『生物と無生物のあいだ』講談社現代新書、二〇〇七年。
※6　フォン・ベルタランフィ「自然科学への警句」、『生命——有機体論の考察』みすず書房、一九五四年（原書は一九四九年）。
※7　今西錦司『生物の世界』講談社文庫、一九七二年（発表は一九四一年）。
※8　二〇二一年九月十日、オンラインでの筆者との対話にて。
※9　同右。

※10　ロボット工学者の石黒浩によるアンドロイドAlterとのオペラ。
※11　黒田玲子『生命世界の非対称性』中公新書、一九九二年。
※12　合田正人「美と徳の流氷――「ベルクソンにおけるリズム」拾遺」（日仏哲学会2021年度春季大会プレ企画「ベルクソン『試論』セミナー」、二〇二一年三月十九日、オンライン）での発言。

水

ポッシブル・ウォーター

新緑が爽やかな日々の中、二〇二二年の東京は六月六日頃、西日本に先駆け早くも梅雨に入った。その日は雨、美大へ向かう玉川上水緑道で、あちこちにできた水たまりを避けながら歩く。すると大きな水たまりが広がる難所が。一瞬「無理!」と思ったが、道端の草むらに迂回してなんとか乗り切る。

水は常に、環境に順応してフレキシブルに変容する。流れ、ときには滞留もすれば(人間から見れば)暴走もする。また、気体や固体となる。そんな水の性質を思うと、「アフォード(afford)」という言葉が浮かぶ。このような言葉を日本語はもたないが、あえて表すと「もたらす」というニュアンスだろうか。この言葉から一九六〇年代に米国の生態心理学者ジェームズ・J・ギブソンが派生させた概念に、「アフォーダンス」がある。環境や物が人間や動物にもたらす意味や動きを意味するもので、デザインや認知心理学で応用され、AI研究でも注目されている。水には人間や動物のような知覚がないが、さまざまなものを「アフォード」し、またされる存在ではないかと思う。人類は、そのような水とともに生きてきた。

分水嶺としての玉川上水!?

玉川上水の緑道は、刻々と変化する光や風に彩られ、街の喧騒から離れた自然のシェルターになっている。江戸時代、一六五三年に四代目徳川家綱の命により多摩川上流の羽村取水堰から四谷の大木戸まで、七カ月という短期間で切り拓かれた全長四十二・七四キロメートルの水路は、わずか九十二・三センチメートルの高低差でなだらかに結ばれている。それを実現した土木技術と繊細な土地感覚には驚かされる。

玉川上水は、尾根に沿って切り拓かれている。西から東に流れる玉川上水から広がる土地は、北も南もなだらかに低くなっていく。水は、北は奥秩父連山の甲武信ケ岳（こぶしがたけ）を源流とする荒川に合流して東京湾へ、南は山梨県の笠取山を水源とする多摩川に合流し、東京都と神奈川県の間から東京湾へと注いでいる。甲武信ヶ岳からの水はまた、静岡県から太平洋へ、長野・新潟県経由で日本海へと流れていく。一滴一滴の水が、地形の機微に応じて東西の海へと分かたれる。単なる物理現象にロマンを感じてしまうのは、ミクロな差異が途方もなく大きな差異を生み出していくダイナミズムによるのだろう。「分水嶺」からは連なる山々を想像しがちだが、尾根を流れる玉川上水も分水嶺である。武蔵野台地など、起伏がさほどない土地にも尾根があり、水がおのずと分かたれていく。

水は、その流れや凝集・放散、凍結・融解などで姿を変え、世界に存在するあらゆるものの中でもとりわけ顕著に変化というものを私たちに実感させる。水に接することで私たちは、世界と向き合い、その一部として包まれるような気持ちになる。野口体操の創始者である野口三千三は、人間の身体を「皮膚という袋に入った液体の中に、骨や内臓が浮かんでいる」と表現した。なんという身体のイメージだろう！　そして同時になるほどと思う。私たちの内部は水で満ちている。生まれ出る前は羊水に浮かんでいたことも、身体には刻まれているだろう。水は、私たちの内外を包み込んでいるのだ。

「Possible Water」

「地球は水を得ることで生命を育んだ稀に見る惑星です。水はさまざまな形態をとり、大気中、地上や地中、動植物などあらゆる存在を満たしています。自然の浄化作用の恩恵を受けてきた水ですが、とりわけ二〇世紀以降、科学技術の発達とともに環境汚染が進行し、現在世界では安全な水を充分に得ることができない地域が数多く存在します。水はそもそも誰のものでもなく、地球に存在するすべてのものの「コモンズ（共有物）」であるはずです。人間中心的な世界観から離れ、世界を満たし流動する共有的なリソースとして水を再発見していくことが、今まさに私たちに求められているのではないでしょうか」

展覧会＋ラウンドトーク「Possible Water ——〈コモンズ〉としての未来」（東京ドイツ文化センター、現ゲーテ・インスティトゥート東京、2012年）のメインビジュアル

この一節は、二〇一二年の七月に初めて「水」をテーマにキュレーションした、展覧会＋ラウンドトーク「Possible Water ——〈コモンズ〉としての未来」のための文章であ

る。きっかけは、東京ドイツ文化センターから東日本大震災、とりわけ津波や福島第一原子力発電所事故後の状況も念頭に、「水」をめぐる展覧会を依頼されたことによる。壮大なテーマだが、以前から水に興味をもっていたこともあり、3・11後という時期に向き合う必要を実感して引き受けた。「Possible Water」には、地球規模でさまざまな意味で危機にある水の可能性をアートを介して開くこと、水を地球の「コモンズ」として提起するという思いを込めた。展覧会は二十代から七十代の日独の八人による絵画、写真、アニメーション、映像、サウンド・インスタレーション、バイオアートの作品で構成、上映会や七夕の祝祭的なイベントを含め、震災一年後の世界を来場者とともに見つめる機会となった。

地球に遍在する水は、生命の源である。その水が、3・11では沿岸の町々を破壊し、原発事故で汚染された。水の性質に目を向けるなら、地震の振動が水に津波を起こさせたことになる。自然現象は、人間の思惑や善悪を超えた地平にあり、一方の原発事故は人災で、人間中心主義的な世界観が背後にある。産業革命以降、人間は機械や情報技術を駆使して自然をモノ化し支配する方向に邁進してきた。その結果訪れた「人新世」とよばれる地質年代にいる現在、地球規模の環境汚染や気候変動が多くの生物を脅かし、それは人間にも及んでいる。そして支配や汚染の影響を受ける最前線が、他ならぬ水なのである。

水の汚染は、とりわけ二〇世紀以降、機械化による大規模採掘や化学の発展、産業の発達で急速に進み、地球環境を脅かすに至った。進行する環境汚染を敏感に感知していち早く知らしめたのは、米国の海洋生物学者レイチェル・カーソンである。一九六二年の著書『沈黙の春』[※1]には、「水は生命の輪と切りはなしては考えられない。水は生命をあらしめているのだ」という一節がある。カーソンが同書を発表したのは、「人新世」の概念でいえば「グレート・アクセラレーション」の初期である。この時代には宇宙開発も進み、初めて人間が地球を外から眺めることで、新たな認識論的展開を生み出した（幼児が初めて自身の姿を鏡を通して認識する、ラカンの「鏡像段階」のように）。地球が水の惑星として再発見されたともいえる。

この地球という岩から成る球体の七十パーセントは水におおわれているので、宇宙から観察すると、大きな水滴のようにみえるだろう。——ラザフォード・プラット[※2]

植物の樹液や動物の血液のなか、あるいは地面に降る雨水のなか、海へ注ぐ川を見れば、水が我々の惑星の上で描き出している循環系が分かる。——エドウィン・ウェイ・ティール[※3]

地球上のあらゆるところに遍在する「循環系」としての水、その循環は地球のたえざるダイナミクスによる。地球が保持する水の量は一定で、自然の浄化作用で連綿とめぐっている。

動物や人間のホメオスタシス（恒常性）に近い。その意味で、地球を一種の生命体的なものとみなすこともありえるだろう。人間も、地球と同様に約七十パーセントが水分で構成されている。水や水分は地球を循環し、人間の身体内でも循環する。摂取した水も体内をめぐる水も、地球のサイクルの中で、さまざまな時と場所でそれぞれの環境と絡まり合いながら存在してきた。現在私たちが飲む水は、過去に人間の身体を五回は通過してきたものだとどこかで読んだことがあるが、循環する水は、すべての存在を生かし潤す、まさに「コモンズ」なのである。

水とデジタルのコモンズ性

「コモンズ」という概念を意識し始めたのは二〇世紀末、米国の法学者ローレンス・レッシグの著書『コモンズ』を介してだった。Linux OSを筆頭にしたオープンソース・ムーブメントが注目された時期で、レッシグは「デジタル・コモンズ」を守るために積極的に発言、当時彼が設立した「クリエイティブ・コモンズ（CC）」の動きは、現在世界的に広がっている。「デジタル・コモンズ」が提起された時代、日本では経済学者の宇沢弘文が著書『社会的共通資本[※4]』を発表している。「社会的共通資本」は、「自然環境」「社会的インフラ」「制度資本」

という三つの要素で構成され、それぞれが「水や大気、森林や河川など」「道路、交通機関、上下水道など」「教育、医療、金融など」を含んでいる。また二〇〇二年には、二〇世紀の「石油（Black Gold）」戦争に代わる二一世紀の「Blue Gold」戦争として、水の課題を検討しコモンズを推進する書籍『Blue Gold』が出版されている。

神聖な生命の水は地球と全生物種のコモンズ。——モード・バーロウ、トニー・クラーク[※5]

水は、政治、経済、環境、健康などあらゆる分野を横断し、人間だけでなくさまざまな生命の生存権に関わっている。水をモノとして支配、管理すること、境界を設けることは、水本来の特性とも「コモンズ」としてのあり方とも矛盾してしまう。二一世紀初頭以降、デジタルと水が「コモンズ」として守られる対象となってきた。加えて言うなら現在においては「バイオデータ」、つまり人間を含む生命に関わる情報や私たち個人の日々の行動、身体情報までもが守られるべきものとして浮上している。

水はそもそも誰のものでもなかった。人々は水のある場所、流域で集落を形成してきた。国境や県境など人為的な境界はなく、遊牧民や狩猟民は、季節に応じて移動し生活をしていた。地球規模の視点を獲得した現在、水の本来性を「コモンズ」としてあらためて取り戻していくこと。それは現在を生きている私たち人間に与えられた重要なミッションではないだろうか。

水をめぐるキュレーション

二〇一二年の「Possible Water」以降、水をめぐるキュレーションを継続した。二〇一三年には渋谷の暗渠(あんきょ)化された川のルートを地図で可視化し、マンホールの穴越しに音を取得する山川冬樹の《Shibuya Water Witching》を展開。[※6] 翌年の「札幌国際芸術祭2014」では、扇状地である札幌の失われた水脈や人、データなどの情報のフローを可視化・可聴化する企画展「センシング・ストリームズ」を企画し、かつては豊平川が流れていたという札幌駅前地下歩行空間を中心に十余りの新作で構成した。茨城県の県北に位置する五市一町という広域で展開した「茨城県北芸術祭2016」では、「山側エリア」で三十作品以上を担当。茨城・福島・栃木県に渡る八溝山(やみぞさん)を源流として県北を南下し、日立市から太平洋に注ぐ久慈川水系に注目し、そこで育まれた漆や発酵に関する産業と科学技術とのコラボレーションなどを含む、「水」を底流にした数多くの作品に関わった。

二〇一八年から東京を中心に展開するプロジェクト「オープン・ウォーター〜水（＊）開

く」[※7]では、東京の豊かな水脈を再確認するとともに、水のもつ可能性をアートの創造力から掘り起こすことで、東京を二一世紀の水都として活性化しようと試みた。東京は、かつて舟運で栄えながら、高度経済成長時代以降に水の風景の多くが失われてしまった歴史をもつ。水はその揺らぎやきらめきで、人々の心を生き生きと豊かにしてくれる。「オープン・ウォーター〜水（*）開く」では、水源から東京湾まで、水辺や水関係のインフラのフィールドワークから始め、いくつかのアートプロジェクトを実施した。そのひとつが、二〇一九年九月に新木場一丁目緑地公園で行った「大気の入り江 for OPEN WATER」である。杉本格朗（漢方家）、瀬藤康嗣（サウンドアーティスト）、三浦秀彦（デザイナー）による「大気の入り江」[※8]が、シリーズで初の屋外版として制作され、ウォーターフロントで満月の出を待ちながら、参加者の聴覚、触覚、嗅覚、味覚が開かれていくイベントとなった。二〇二〇年十一月には、山川冬樹が東京港の水上（東京ウォータータクシー上）で複数の地点を移動しながら行うライブ・パフォーマンス「DOMBRA」を実施した。[※9]また二〇二一年の夏には、多摩川がかつて運んだ礫層（れきそう）によって高層化が可能になった大都市東京を、水源から辿り写真に収めた齋藤彰英個展「東京礫層——Tokyo Gravel」を開催した（蔵前の iwao gallery）。水へのアプローチは山川と齋藤でそれぞれ異なるものの、人間存在を超えたスケールの時間や空間の導入や、現代の東京が抱える諸相に向き合うまなざしで共通する。人間中心主義から距離をとった、多自然主義的な視点といえるだろうか。

水とアートのコモンズ性

「コモンズ」としての水は、物質・非物質を超えて世界に遍在し、生態系を支えている。ここでの生態系には、自然、生命だけではなく、社会そして私たちの精神も含まれる。アートも同様に、自然、生命、社会、精神が相互循環する生態系を支えるものではないだろうか。アートは人類が生み出したものだが、その始原となったのは、洞窟絵画に見られるように世界への畏怖や生存への祈り、つまり人間を超えた存在に向けたコミュニケーションといえ、本来は「コモンズ」だった。狩猟採集社会において人類は、日々の暮らしや祈りのためにさまざまな物や表現を生み出してきた。やがて農耕社会とともに所有の概念が生まれ、絵画や彫刻も特定の政治、経済、宗教的なフレームに支配され始めた。その後の大航海時代には、ヨーロッパの国々が世界各地から宝物や（征服者にとって）珍しい品々を持ち帰り、それらを収集・陳列した「驚異の部屋」が博物館の起源となった（美術館は博物館のひとつに分類される）。品々はオリジナルの文脈から引き剥がされ、所有者が空間的に「編集」し展示することで、その権力や嗜好を誇示するツールにもなった。初めて市民のためにつくられた博物館

「大気の入り江 for OPEN WATER」東京都江東区、2019年9月14日、主催：オープン・ウォーター実行委員会 撮影：齋藤彰英

山川冬樹「DOMBRA」、「オープン・ウォーター～水（＊）開く」トライアル公演、東京港上、2020年11月29日、主催：オープン・ウォーター実行委員会 撮影：齋藤彰英

三原聡一郎《無主物》2020年　撮影：木奥恵三　Courtesy of 日産アートアワード

は、フランス革命後に誕生したルーブル博物館である。以後収蔵物は原則的に万人の共有物、つまり「コモンズ」であり、博物館はそれを保管し展示する場所そしてシステムとなる。

しかしながらアートはそもそもモノに還元しきれない。世界への祈りや省察、美への感動など精神的なものの顕現であり、収集や売買や所有はその一面でしかない。アートは水のように世界に浸潤するものであり、元来人間だけでなく、森羅万象を畏敬し、それらとつながるためのものとしてあった。私たちは、アートが本来もつ、人間のためだけではない、そして人間だけによらないそのあり方に、あらためて向き合う時期にいるのではないだろうか。

水やアートを「コモンズ」とみなすことは、同時に世界を、そして自らの存在をコモンズとして発見することでもある。それはまた、自然や社会、精神をケアし、修復し、本来の息吹を回復するプロセスでもある。だがその実践は近代以前への回帰を意味するのではない。古来からの叡智に寄り添いながらデジタルの可能性を生かして行われていく、新たな「コモンズ」の創造であるだろう。

水を開く、波に委ねる、水になる！

遍在する水をめぐってその三態（液体、気体、固体）の循環をひとつの空間内で実際に生成している作品が、三原聡一郎の《無主物（むしゅぶつ）／Res Nullius》（二〇二〇年）である。素材は展示空間の空気中にある水分で（来場者が発する水分も含まれる）、天井と床にある装置が水の分子を液体に変化させ、それが凍り固体となり、気体へと戻るプロセスが続いていく。床に置かれた苔が、来場者とともに生命体として循環に関わり、空間がひとつのクローズドな生態系を形成する。「無主物」というタイトルは、福島第一原子力発電所事故で飛散した放射性物質の責任をめぐって提訴された東京電力の発言に由来するという。「飛散した放射能を除去する責任はない、なぜならそれは「無主物」であるから」（二〇一一年八月）。「無主物」は法律用語で、「現に所有者の無い物をいい、過去において所有者がいたかどうかは問わない」という意味をもつ。[※10] 無主物という言葉から、コモンズを想起する。とはいえ二つの言葉が表すものは、似ているものの決定的に相反するように思われる。人為的な境界を超えて環境内に広がるイメージは共通している。けれど無主物は、測量や所有という人間による領有化が前提となっていて、コモンズはそもそも人間を超えている。福島第一原発では、除染された汚染水が二〇二三年中に海洋放出される予定だという。だが、残存するトリチウムの安全性を保障することはできない上、それ以外の放射性物質が含まれている可能性もある。「風評被害」を懸念して地元の漁業関係者から反対の声もある。そして忘れてはいけないのは、放出が地域や国を超えた地球に関わる問題であることだろう。

「渦」の節でも触れた私にとって初めてのサーフィンは、二〇二一年、三原聡一郎たちと福島県双葉郡岩沢海岸（J-ヴィレッジの下）で体験したものだった。そして東日本大震災をきっかけに始まった三原の「空白のプロジェクト」の関連企画として、二〇二二年三月十一日の「3月11日に波に乗ろう」[※11]で、十一年前のこの日を思いつつ、同じ場所で再びサーフィンに参加した。快晴で波のいい日で、ボードには立てないものの、波に身を委ねるかけがえのないひとときとなった。

その二週間後には、文化人類学者の奥野克巳から、フィールドワークで荒川の源流から三日かけて川を下り、東京湾に至ったと報告が届いた。[※13] フィールドワークのタイトルは「水となって、荒川をくだる」。この「水になる」という言葉の、なんと瑞々しいことだろう！　マレーシアの採集狩猟民プナンのフィールドワークを続けながら「人間を超える人類学」を探求する奥野は、コロナ禍の中、二〇二二年から開始した国内のフィールドワークで水を得た魚のようである。下流へ行くにしたがって、風景にも水にも人の関わりが強まっていく。それを水の視点から感じることは、ヴィヴェイロス・デ・カストロの「パースペクティヴィズム」に接近するものだろう。

ニュージーランドでは、二〇一七年春に政府が「川は生きた存在である」というマオリ族の主張をとり入れ、法律で川に法的人格を認めたという。[※14] 川は多様な動植物をアフォードする生きた環境であり、また水自体のダイナミズムも含んでいる。それによってひとつの生命体としてみなされたということだろう。川や水を人間が制御するモノとしてではなく、生命的なものとみなす視点は、古来から世界各地でアニミズム的叡智として共有されていた。加えて現在、コンピュータを介在させた自然のシミュレーションや観察において、「生命」と「非生命」の境界を容易に策定できないグラデーショナルな状況に直面している。風や水など自然の流れも、特定のリズムやパターンに沿って生成と分散をくり返している。それらを生命的なものとみなすことはできないだろうか。思えば人間も、日々の思考や行動のほとんどは、意思や目的に根ざすというより、状況に応じたリアクションの連続であるが、人間以外の動植物、そして非生命とされる気象や川なども、ミクロ・マクロな時間や空間スケールでは生き物のようにインタラクションをくり返しながら動的に変

オンライン展覧会「空白に満ちた世界」関連企画「3月11日に波に乗ろう」（福島県岩沢海岸＋縁側の家）でのサーフィン、2022年3月11日
撮影：津嘉山裕美

化し続けている。

日本のコモンズとしての水

尾根に作られた玉川上水は、多摩川水系と荒川水系の分水嶺となるが、この分水嶺は古くは「水分（みくまり）」ともよばれていた。「み（水）」「くまり（配り）」、それは生活や生命の糧であり「コモンズ」である水を分かち合い共有することを意味するのだろう。山がちな日本には急流が多く、川より滝だと感じる海外の人もいるという。近代以前は勢いよく流れる清流が山と海を結び、流域に沿って信仰や文化が形成されてきた。本書のP73では、多摩川源流にある神社に下流の村々からお参りに行く御嶽講を紹介したが、「講」のような互助システムは日本各地に存在してきた。この国ならではの「コモンズ」的なものとしては他に、「入会地（いりあいち）」や「結（ゆい）」も挙げられる。そして四つのプレートがせめぎ合う日本では、自然の恵みにも災害にも、大地の変動とともに川や水が関わってきた。アニミズム的な日本の精神性も、講や結、入会地のあり方も、水を基盤に生まれたはずである。しかし近代化の中で水災害が甚大化したことで、巨大なインフラ整備が次々となされ、水の制御が加速化することで水本来の可能性が抑えられ、人々は水から遠ざけられた。いのちの源としての水との関わりが遮断されること、それは水そして自然全般を、ひいては人間自身を疎外することを意味する。

水問題は、あたかも水がどこにでも流れていくように、世界の紛争、貧困、環境、農業、エネルギー、教育、ジェンダーなどさまざまな分野に縦横無尽に関わってきます。

——徳仁親王（現徳仁天皇）※14

水運の研究に発し、人々と水との関わりの歴史にも造詣が深い今上天皇は、このように水がまさにさまざまな分野に関わっていると記している。二〇二二年四月に開催された「第四回アジア太平洋水サミット」（熊本＋オンライン）の開会式での講演では、水が生活を支えるだけでなく、人々の自然観や世界観にも大きな影響を与えてきたこと、水への感謝や畏れが心の清めや祈りへと変化し、水を通じた信仰を生み出したことが日本やアジアの事例を挙げながら語られた。そして「すべての人々が豊かな水の恩恵を受け、暮らしを営むこと、それがアジア太平洋地域、全世界の繁栄と平和につながることを心から願う」と結ばれた。「コモンズ」としての水、そしてアート。それは自らが「水になる」こと、そして「アートになる」ことを想像することから始まるだろう。

※1　レイチェル・カーソン『沈黙の春』青樹簗一訳、新潮社、一九六二年。
※2　ラザフォード・プラット『水＝生命をはぐくむもの』梅田敏郎・石裕之・西岡正訳、紀伊国屋書店、一九七一年。
※3　エドウィン・ウェイ・ティール「まえがき」、『水＝生命をはぐくむもの』、前掲書。
※4　宇沢弘文『社会的共通資本』岩波新書、二〇〇〇年。
※5　モード・バーロウ、トニー・クラーク『「水」戦争の世紀』鈴木主税訳、集英社新書、二〇〇三年。原書『Blue Gold』は二〇〇二年刊。本書を原作としてサム・ボッソ監督の映画「ブルー・ゴールド——狙われた水の真実」（二〇〇八年）が制作されている（配給：アップリンク）。
※6　「シェアリング・バイブス——共振する場、そして私」展（アーティスト：Maki Ueda、新津保建秀、山川冬樹）、アツコバルー arts drinks talk、二〇一三年。
※7　タイトルの（　）内に助詞を入れることで、「水を開く」「水に開く」「水は開く」「水へ開く」「水と開く」「水で開く」といった複数の意味が生まれる。
※8　「大気の入り江」は、二〇一八年から時折り開かれる「音、匂い、気配、時の流れなどを五感を使って茶会のように体験するリスニング・インスタレーション」。対面、少人数で行われていたが、コロナ禍では二〇二〇年十月に「大気の入り江 秋土用 リモート版」をリモート／マルチサイト版として開催、以後も毎回異なる条件で開催されている。アカンパニストに難波祐子（キュレーター）を加え、メンバーは現在四名。
※9　山川冬樹「ＤＯＭＢＲＡ」ダイジェスト版 https://youtu.be/9gp4iDliEdY、フルバージョン https://youtu.be/5_raF-Joyt0
※10　「無主物」とは「現に所有者の無い物をいい、過去において所有者がいたかどうかは問わない。無

主の動産は、所有の意思をもって、占有することにより、その所有権を取得する（民法第239条1項）が、無主の不動産は、国庫の所有に属する（同条2項）ことから、先占の対象とはならない」。

※11 一般社団法人東京都測量設計業協会ホームページ「測量用語」の「無主物」の解説より。

※12 オンライン展覧会「空白に満ちた世界」関連企画「3月11日に波に乗ろう」、福島県岩沢海岸＋縁側の家、二〇二二年三月十一日。

※13 DAMAGED PLANET（傷ついた地球）研究会における第五回フィールドワーク「三月、水となって、荒川をくだる」二〇二二年。

※14 「ニュージーランドが川に「法的な人格」を認めた理由――聖なる力をもつ、先住民マオリの「祖先の川」」、『ナショナルジオグラフィック』二〇二〇年三月号。

※15 徳仁親王『水運史から世界の水へ』NHK出版、二〇一九年。

遍在する水、越境する水

水は生命の源であり、地球は「水の星」である。宇宙においても「水」の有無が生命の証とされている。古代ギリシャの哲学者タレスがかつて「万物の根源は水である」と述べたように、水は環境に応じて変容し、地表、地層、空や空気、動植物の内部などを地球規模で循環する。宇宙からの太陽熱、太陽や月の引力、地上では風や地形などに応じて、海では暖流が寒流とぶつかりながら、深部も含めた地球規模の流れの「ベルトコンベア」が稼働する。気象や地形、地殻変動で形成される海流は、魚類や動植物、人間の移動を促進している。世界のほとんどのものが、水やそれによる現象が可能にした形態をもち、ミクロ・マクロの時間・空間で変化を続けている。それを感じ想像する私たちの身体内の活動も、水の賜物である。

前述のとおり、私は水をめぐるプロジェクト「オープン・ウォーター〜水（＊）開く」に関わっている。その根底には、デジタル／アナログを超えたダイナミックな情報フローへの注目があった。とりわけ「デジタル・コモンズ」の議論が出てきた二〇〇〇年頃、それが流出性や共有性において水と通じると認識し、以後デジタルとアナログを循環する情報生態系を扱っている。二〇〇九年には「環境的無意識」(四方)という言葉を通じて、個人や組織が環境データを計測しグローバルに共有可能にすることで、それまで「無意識化」されていた環境に語らせ、地球に向き合う新たな方法の可能性を提起した。また、東日本大震災、津波災害、そして東京電力福島第一原子力発電所事故を経て、水をテーマとした「Possible Water――〈コモンズ〉としての未来」(二〇一二年)以降、水をはじめさまざまな情報フロー(デジタルデータ、気象、生態系、地層、動植物、人間、エネルギー、貨幣等)を扱うキュレーション活動へと拡張させてきた。※1 いずれも「生命」や「知性」の概念を更新し、人間と非人間との非対称性を解消するための試みである。

継続する拡散と流出

東日本大震災は、水をはじめ、人間の制御を超えて流動する自然に対する認識を私たちに強く刻み込んだ。メディアアートでボトムアップな創発システムを扱ってきた三原聡一郎は、3・11以降に「空白のプロジェクト」を開始、泡が立ち上がる《 を超えるための余白》(二〇一三年)、放射線を感知して鳴る作品《 鈴》(二〇一三年)、微生物燃料電池を搭載した

《コスモス》（二〇一五年–）、鳥の鳴き声を想起させる装置《想像上の修辞法》（二〇一六年）などを発表した。三原は一貫してアナログを含むエフェメラルな現象や非人間を含む情報フローの探求を探求し、二〇一〇年台半以降は風や空気、水など環境に応じて変化する作品を制作している。

露口啓二は、札幌を拠点に北海道の近代化と自然の関係について写真を介して扱ってきた。露口にとって自然と水は切り離せないものであり、そのまなざしは古（いにしえ）の時代から自然に寄り添い生きていたアイヌの人々へも向けられている。かつて川に沿って地名を付け、流域で生活していたアイヌゆかりの土地を撮影した「地名」[※2]シリーズでは、水や水脈が扱われている。露口は二〇一〇年頃から人間と技術、そして自然との関係を近代史、人類史的観点から省察する「自然史」シリーズを開始したが、北海道、福島[※3]、そして出身地の徳島で撮影された写真には、可視的ではないものの水の存在が意識されている。被写体はいずれも、放置された自然の風景であり、福島では、帰還困難区域を分かつ境界線に沿って数十カ所で撮影された。写真に境界線は写らない。しかしだからこそ、人為的境界を越えて流動する放射線の存在に見る側は向き合うことになる。露口は、写真が常に現地とのずれ（時間、空間的）を内蔵することを自覚している。個人の表出を回避した批評的なまなざしとシステムで撮影された写真は、個々ではなく複数性においてこそ、その本質を語り始める。

この国の下では、四つものプレート同士の歪みが生み出した「皺」のようなものであり、至る所に断層をもつ。日本列島はプレートがせめぎ合う。俯瞰すれば環太平洋火山帯の一部で、北はアリューシャンや千島列島、南はインドネシアに到達する二系列（八丈島から小笠原諸島への連なりと、沖縄から台湾、フィリピンへの連なり）の島々が連なる列島に属する。古来日本列島に住んできた人々は、大陸やこれらの島々、そして太平洋の島々とも海を介して結ばれていたはずである。東日本大震災の津波では多くのものが海へと流出した。アバロス村野敦子は、シアトルの海岸で漂流物を集め、コラージュを行う人物のもとでそれらを撮影し、私家版写真集『Beachcombing With John』（二〇一六年）を制作している。そこには3・11の津波で流されたものも漂着したという。村野はかつてシアトルで大学生活を送ったことがある。3・11の余波が自身にとって思い出深いこの地に到達した事実が、阪神淡路大震災で被災した経験をもつ村野に現地に向かう決断をさせたという。地震や津波、そして海流。いずれも大地や水、事物を移動・変形させる巨大エネルギーである。漂着物、コミュニケーション・メディアとしての海。この写真集には、記憶と流出のエネルギーが内包されている。

アラスカ大学で先住民の工芸を学んだ是恒さくらは、シリーズ「ありふれたくじら」（二〇一六年－、口絵P4参照）において、捕鯨文化をもつアラスカや東北などでフィールドワークを行い、手づくりの造形物とリトルプレス（出版物）として提示する。先史以来世界各地で捕獲され、文化・宗教上象徴的な存在でもあるクジラだが、近年伝統的な捕鯨文化への攻撃が国際的に激化している。是恒は、各地で聞き取りをする中で、クジラをめぐる歴史・文化の違いや共通性、遠方の人同士の海を介したつながりなどの事実に遭遇する。そのような人々の思いや記憶を手作業により反芻することで、現実とフィクションが絡み合った「ありふれたくじら」が出現する。繊細な作品やテキストを通して、見る側は、人々の深層に息づくクジラ、そして彼らの生息域であるコモンズとしての広大な海を想像することになるだろう。

ミクロやマクロの時間・空間で見れば、地層も石も地形も、水と同様に絶えず流動している。地形や風景は、過去のさまざまな地殻や気象変動の痕跡であり、目の前の風景も微動し続けている。かつて生きられていた場や環境は、現在なんらかの痕跡を示しているのだろうか。アヨロラボラトリー（国松希根太と立石信一によるプロジェクト）[※4]は、拠点とする北海道南部の白老、登別でのフィールドワークによって、かつての風景やその変遷を想像しようとする。「アヨロ」は、海岸線が続く中、外輪山が海になだれこむ岬のような場所にあった地名で、縄文時代以降人が生活し、アイヌの聖域であったという。地層や水、植生のもつ時間や空間に寄り添う彼らの行為は、自然と協働する動的な思考そのものであり、それらの一部が写真やテキスト、彫刻として可視化される。

露口啓二《帰還困難区域境界線》
2014年
上｜N37° 23′ 40. 81″ E 140° 58′ 02.21″ 2014
下｜N37° 21′ 26. 99″ E 140° 59′ 52.62″ 2014

アヨロラボラトリーによる登別川（クスリサンベツ川）のフィールドワークの様子
撮影：石川直樹

「オープン・ウォーター」

水や情報フローからの視点が「オープン・ウォーター」という発想に至ったのは二〇一八年のことである。かつて水都として栄えながら明治以降の近代化やオリンピックで水が排除された東京の水脈を振り返り、「二一世紀の水都・東京」をアートで活性化しようとするプロジェクトを「オープン・ウォーター〜水（＊）開く」と名づけた。参加した作家の一人でフォッサマグナの糸魚川－静岡構造線に位置する静岡市出身の齋藤彰英は、構造線に沿って形成された、海と山をつなぐ塩の道のフィールドワークを継続し、写真とテキストへと結実させてきた。多摩川上流の写真（口絵P4）もその記録である。東京では、高層ビルがかつて山間部から押し流された小石による古い「礫層」により可能となったことに注目し、普段意識化されない地層から都市を考察する。岡崎乾二郎は3・11後のインタビューで、都市が下部構造（無意識的・自然の領域）と上部構造（意識的・人為的領域）を分断し、前者が抑圧・制御されていると述べているが、[※5]齋藤はまさに下部構造としての自然――時間をかけ流出したものが堆積した礫層――から、その上に林立する高層都市東京へと向かう。先史以来人間は、所与のものを素材として活用してきた。近代以降は、地下資源を膨大に採掘・消費し地球を汚染してきた。しかしそれらは、地球史規模で流動し蓄積されてきた時間やエネルギーの凝縮体なのだ。

地球温暖化が進む中、日本をはじめ世界各地で激烈な水害が、極地では氷の融解や海面上昇が起きている。ブルーノ・ラトゥールは近著において「テレストリアル（Terrestrial）」を掲げ（P199参照）、生産システムから発生システムへのシフトと、そこでの人間と非人間の相互作用によるアクターネットワークを提言している。[※6] 筆者としては、「テレストリアル」を「オープン・ウォーター」の視点から位置づけたいと考えている。頻発する異常気象は、環境的無意識的視点から見るならば、無意識として抑圧された自然（水、空気、大地）が声を上げ始めたとも解釈できる。今まさに無意識的な流れや存在に目を向け、人間中心的な近代の呪縛を解くことが求められている。それは同時に人間自身を解放することになるだろう。

※1　以下でも水や水脈を扱っている。「シェアリング・バイブス——共振する場、そして私」展（アッコバルー arts drinks talk、二〇一三年）、「センシング・ストリームズ」（札幌国際芸術祭２０１４）、茨城県北芸術祭２０１６、オープン・ウォーター実行委員会での活動（二〇一八－二一年、山川冬

樹ライブ・パフォーマンス「DOMBRA」（東京港上、二〇二〇年）、齋藤彰英個展「東京礫層――Tokyo Gravel」（iwao gallery、二〇二一年））、上村洋一＋エレナ・トゥタッチコワ「Land and Beyond――大地の声をたどる」展（POLA MUSEUM ANNEX、二〇二一年）など。

※2　一九九九－二〇〇四年、二〇一五－一七年の二つの時期に制作。二〇一八年に写真集『地名』を赤々舎より刊行。

※3　福島での撮影は、筆者キュレーションの「センシング・ストリームズ」（札幌国際芸術祭2014）の新作のため、札幌と福島を水の流れでつなぐ、というコンセプトで行われ、展示では川の流れが床に投影された。写真集『自然史』は赤々舎より二〇一七年に刊行された。

※4　立石は、二〇二〇年に白老に開館した国立アイヌ民族博物館の学芸主査、彫刻家の国松は、飛生芸術祭を主宰しつつ森を育てる活動に携わる。二〇一六年より度々石川直樹も参加。

※5　岡﨑乾二郎インタビュー「理性の有効期限――理性批判としての反原発」、『述〈5〉反原発問題』近畿大学国際人文科学研究所紀要、論創社、二〇一二年。

※6　ブルーノ・ラトゥールは以下のように述べている。「新気候体制（New Climatic Regime）がすべての政治的立場を決定する」。ブルーノ・ラトゥール『地球に降り立つ――新気候体制を生き抜くための政治』川村久美子訳、新評論、二〇一九年。

地

土地のテリトリーを超える

かねてから疑問に思うことがある。土地を所有しているとして、どこまでも地中へと掘り下げると（到底不可能だけれど）、地殻、そしてマントル、ひいては核にまで至ってしまう。土地はどこまで所有可能なのか？

ローリング・サンダーやスー族のメディスンマンもよく言っていたのが「国家というのは、大地の上に敷かれた絨毯だ」ということ。絨毯をまくりあげると、その下には手つかずの自然が残っていて、死んでいったバッファローたちが姿を現すと。——北山耕平[※1]

人為的に境界が設定された地表と、地球の中心部という日常とはほど遠い世界との途方もない落差。しかし両者はつながっている。私たちはふだん、時間や空間的なスケールを人間目線で捉えがちだが、実際は自身の存在も日常も宇宙史や地球史とつながっているとつくづく思う。地表を掘った場合、所有を認められるのは、検索すると「地中四十メートルまで」とある。根拠は「大深度地下の公共的使用に関する特別措置法」とのことだが、この法律は「公共事業」が前提で、それも「適用されるのは東京都、大阪府など全十一都府県のみ。それ以外の地域では無制限」「あくまで常識的な使用の範囲が求められる」とある。もちろん国内のみの適用。開発の中で、行き当たりばったりに策定された感が否めない。

人間が地中深くまで大規模に掘り進めたのは、近代の機械化による資源開発以降で、現在は技術の進歩によって深さ一万二千メートル以上の掘削が可能になっている。そうなると、人間と地球の関係という、地質学、人類学そして倫理や哲学の問題系に入ってくる。私たちの身体、そして地球にあるあらゆるものは、宇宙に由来している。そして地層や土、水、大気、動植物や微生物……はそもそも「コモンズ」として生態系を成している。しかし人間は地表に、国をはじめさまざまな境界を策定し分割してしまっている。

先史以来人間は、自然を畏敬しながら、狩猟や採集の恵みを分かち合ってきた。近代以降も先住民の人々は、世界各地でそのような生活を送っていたが、ことごとく国家に組み込まれてしまった。この国では、狩猟・漁・植物採集が主体だった縄文時代頃まで人々は所有の概念をほぼもたなかったとされる。かなり前になるが、米国の企業が月の土地を販売していて違和感を抱いたことがある。米国が一九四五年に硫黄島に、一九六九年に月面に星条旗を立てたことや、それ以前、大航海時代の西欧諸国による植民地支配のことが頭をよぎる。

札幌を拠点とするアーティストの進藤冬華は、自身が生まれ育ち暮らす北海道がどういう場所なのかを問いながらリサーチを重ね作品を制作している。それは常に、彼女の何気ない日常からふとした疑問として立ち上がり、北海道の歴史や成り立ち、人々の生活へとつながっていく。明治時代に日本に組み込まれ、全国から開拓のために人々が渡った北の大地・北海道。土地を与えられた人々は家を建て、厳しい自然の中で生きてきた。政府は当初、近代の諸システムを導入するため多くのお雇い外国人を欧米から招聘し、同時にアイヌの人々に日本の制度を強制していった。

進藤は、個展「移住の子」(モエレ沼公園、二〇一九年)において、米国でのリサーチも含め数年来取り組んできた明治時代の北海道開拓顧問ホーレス・ケプロンの日記を軸に、当時の北海道や日本、米国に向き合いながら、今を生きる自らの生活を通して複数の作品を発表した。その中のひとつに、《大地》というタイトルの映像作品がある(口絵P5参照)。開拓にまつわるさまざまな活動(ガーデニング、川を作るなど)を自宅の庭で行って撮影した実写アニメーションで、廃材を組んで作った「大地」や「土地」という文字が現れ、一時的な構造体として組まれ解体されるプロセスが、明治期の開拓小屋のメタファーともなっている。進藤は「開拓される土地のジオラマを作るような活動」と語っているが、明治の北海道の開拓や所有の営みを、塀で囲われた個人の土地（と同時に北海道の大地の一部）において想像的にシミュレーションする作業といえる。コモンズとしての大地が国家に組み込まれ、移住した人々が所有することで、進藤は北海道が形成された歴史を飄飄としたユーモアと批評性でたどってみせる。

人新世——大地、地球、人間

産業革命以降、人間が自然をモノとして対象化するスピードが加速した。何十億年もかけて形成された地層が資源として大量に採掘、消費される中、大規模な土地や水、大気の汚染が引き起こされ、地球温暖化による気候変動が激化している。「人新世」とよばれる今世紀、宇宙史や地球史スケールで過去や未来を含めて現在を見つめること、自身の延長としてそれを捉えることが私たちに求められている。放射性物質は消滅するまでに十万年かかるともいわれる。四十六億年の地球史にとっては一瞬だが、人類にとって十万年は、現在発見されている最古の洞窟壁画（約四万年前）が描かれてからの時間の二・五倍という想像を絶する長さである。マイケル・マドセンがフィンランドのオンカロを描いたドキュメンタリー映画「100,000年後の安全」[※2]（二〇一〇年）は、そのような問題を扱っている。フィンランド語で「洞窟」を意味するオンカロは、原発から出る高レベル放射性廃棄物を埋蔵する最終処分場で、危険物を地中深く埋め、日常圏外へ押しやることで、未来に負債を先送りする施設である。世界で初めて最終処分のプロセスに取り掛かったことは、ある意味では英断といえるものの、同時に人間のスケールを超えた、時間の彼方の存在とのコミュニケーションという深遠な課題に直面することになった。

二〇二一年六月十一日に、福島県大熊町の中間貯蔵施設を見学した。ここは福島第一原子力発電所爆発による汚染土を県内各地で除染したものを集めて分別し、三十年間貯蔵する施設で、同様の施設が双葉町にもある。ここでの貯蔵後は県外に永久貯蔵される予定だが、まだその場所は決まっていない。広大な敷地が、クレーンによって汚染土という負の遺産で埋め立てられている光景は、あまりに虚しく悲しいものだった。遺跡の発掘現場のようにも見え、埋もれていたものではなく、埋めていくものという意味で「逆遺跡」という言葉がはからずも浮かんだほどである。また以前見学した東京都の中央防波堤（最終ゴミ処分場）に堆積する、ゴミと土を交互に積んだ地層を思い出した。土壌貯蔵施設には限界があり、放射線濃度が低めの汚染土を再生土壌として利用することも検討し始めているというが、その決定も含め、社会で広く議論される必要があると思う。

考古学の発掘や調査が行われた地層の断面を見ると、まさにアーカイブだと実感する。地中に行くほど過去へと遡り、堆積しているさまざまな層からは、各時代の地殻や気候変動、そして災害（とはいえこれは人間目線の言い方で、自然には「災害」はない）の痕跡が見出され、岩石や鉱物、動植物の化石などは情報の宝庫である。また火山灰の層や永久凍土、水などというタイムカプセルに封じ込められていた生物や人工物は、当時のままの姿であらわれもする（地球温暖化で永久凍土が融解し、ロシア極東部のサハ共和国で発見されたマンモスからは、DNAに加え、血液が取り出され解凍されているという）。人間によって排出された化学物質や放射性物質などが人為的に集約され、新たな地層として積み上げられたり地中深くに埋蔵されるしかないことを、どう考えればよいのだろうか。

フランスの哲学者で人類学者のブルーノ・ラトゥールは、地球温暖化を含む現在の状況を「新気候体制」とよび、既存のローカルからグローバルへ向かうベクトルではない新たな方向（新しい時間の矢）をめざすための政治的アクター（新しい政治的作用を及ぼしうる存在）として「テレストリアル（Terrestrial）」、つまり「大地に根ざすあらゆる地上の存在、およびその総体としての地球」を提唱している。※3 それは人間と非人間によるアクターネットワークが稼働する可能性の地平といえるだろう。ラトゥールをはじめ、現在人文・自然科学を横断するかたちで、人間活動を相対化して地球や大地との関係を更新していくまなざしが、地球規模で共有されつつある。

地層と日常

二〇二一年七月三日に熱海で起きた、大規模土石流と傾斜地にある住宅地の被災……。心配しながらも、私は翌日、知人の鈴木昭男と宮北裕美のパフォーマンスを見に熱海に行こうとしていた。が、当日の朝、深刻な被害だとわかって行くのを断念した。彼らに連絡すると、その日のパフォーマンスは中止となり、会場のホテル（Hotel New Akao）も被災者受け入れを始めたという。熱海がフォッサマグナの地盤上にあることを思い出し、同夏に開催したトーク「フォッサマグナと諏訪・八ケ岳山麓」[※4]にゲスト出演いただいた竹之内耕（新潟県糸魚川市立フォッサマグナミュージアム館長）にメールをしたところ、以下のお返事をいただいた。「熱海の土石流は痛ましい限りです。隆起している日本列島の山間地は土石流の多発エリアです。私たち地質屋の感覚では、ふだんの河川の清流は仮の姿で、数十年～数百年に一度の割合で、土砂と水が一体となって流れる姿こそ、河川の本当の姿だと思っています。大地が削られて

アバロス村野敦子展「Fossa Magna ――彼らの露頭と堆積」より、2020年

中間貯蔵施設、福島県大熊町、
2021年6月11日　筆者撮影

齋藤彰英《東京礫層》2021年

いく（地形が形づくられていく）まさに瞬間です。この自然現象が生活圏と交差すると災害になってしまいます。［中略］新潟県は、地すべり面積日本一、石油・天然ガス生産日本一ですが、これもすべてフォッサマグナが原因です」

フォッサマグナは「大地溝帯」という意味で、約二千万年前、現在の日本列島の東北側と西南側に当たる部分が大陸から分離、その間にあった海面下六千メートルの大地溝帯に砂や泥などが堆積し、下から南北の火山列がマグマを吹き上げて八ヶ岳、富士山などを形成したという（P86※1参照）。現在は、ナウマン博士が規定した甲府盆地や八ヶ岳を含む当時の幅と比べると、東西に格段に広いエリアとされている。そして東京も、フォッサマグナの上にある。

このことを実感したのは、アーティスト、アバロス村野敦子と出会ってからである。四年ほど前、大学でフォッサマグナについて授業をした後、知人の写真家が参加しているグループ展に行き、奇しくも村野の「フォッサマグナ」をテーマとした展示に出会う。以後対話を続け、一緒に糸魚川にフォッサマグナを訪れてもいる。村野はフォッサマグナのリサーチを、「他の人には見えなかったものが、なぜナウマンには見えたのだろう」という問いから二〇一五年頃に開始した。頻繁に現地に通う中、日々生活をする東京において、「私はフォッサマグナの上で生活している」という実感に至ったという。そのような中から結実した写真集（『Drifting across the sea, Searching for a place to belong. Finding a new home, And calling it their own. Just like the Fossa Magna, Years gone by, Layer by layer, Unseen, but to be known.』、二〇一九年）と個展「Fossa Magna——彼らの露頭と堆積」（POST、二〇二〇年）は、壮大なフォッサマグナの地層に、村野が夫のカルロと営む日々の記録が「生きた地層」（村野）として交差するものとなった。そして私の中では、数百万年前にフィリピン海プレートが伊豆半島を伴って日本列島に衝突したという南部フォッサマグナの歴史と、フィリピン出身のカルロと村野の関係がオーバーラップする。

「水」の節でも紹介した齋藤彰英は、私が主宰するオープン・ウォーター（P190参照）の実行委員会メンバーとして、ともに東京の水についてのフィールドワークを重ねてきた。二〇一九年には、等々力渓谷の剥き出しの地層（関東ローム層や東京礫層など）を視察後、多摩川へと歩き、その年の秋に吹き荒れた台風の生々しい傷跡（氾濫した多摩川が運んだ土砂が四十センチも堆積した「新しい地層」）を目の当たりにしたことが忘れられない。齋藤の個展「東京礫層——Tokyo Gravel」[※5]では、前述のとおり、会場のある台東区蔵前も含む都心部一帯の土地と、現在おびただしい高層ビルが林立する風景が、かつてはこの地域から現在の千葉県までを含む東部を流れていた多摩川によって山間部から押し流されてきた小石の形成した古い「礫層」により可能になったことをふまえ、大都市東京をふだん意識化されない地層という側面から静謐に可視化することが試みられた。この展示を通して私は、鉄や石、硝子が多用された東京の風景も、人々も、この原稿を書いているパソコンも、そもそもすべて土に由来する成分からできているのだとあらためて気づかされた（これは東京に限らないけれど）。

人間、土、堆肥（コンポスト）

漢文学者の白川静は、日本語の「つち」が土一般を指すのではなく、地中に潜む霊的なものの呼び名だったと述べている。土といえばまた、「人は土から生まれ、土に還る」という言い方があるが、実際人類は、水や土に由来するさまざまなものの摂取によって生まれ、生き、死ぬと土葬や風葬によって自然の中に還っていくものだった。土は、微生物や動植物、ミネラルの宝庫であり、そこから新たな生きものを育む豊穣な母体で、そのような土に日本人は霊性を感じたのではないか（その霊性をことごとく否定していったのは、明治以降だろう）。

人間は、本来大地の一部とみなされていた。「人間（human）」の語源は、「腐食土（humus）」であるという。しかし近代は、人間を自然や土から切り離し、それは人間を自然の循環から疎外した。現在、哲学や人類学において、ダナ・ハラウェイ、ティム・インゴルド、エドゥアルド・コーンやアナ・チンをはじめとする多くの学者が、人間と人間以外のもの（動植物、

三原聡一郎「土をつくる」2021年–、作家によるスクリーンショット

福原志保＋ゲオアグ・トレメル《バイオプレゼンス 2055》「オープン・ネイチャー——情報としての自然が開くもの」展、NTTインターコミュニケーション・センター[ICC]、2005年　撮影：小原大貴

上村洋一＋エレナ・トゥタッチコワ「Land and Beyond —— 大地の声をたどる」展、POLA MUSEUM ANNEX、2021年。上は上村洋一の作品、下はエレナ・トゥタッチコワの作品

微生物、石や森……）のものとのハイブリッド化や共生について語っているが、このことと人新世とはシンクロしている。また地質学においても、「文化地質学」という領域横断的な分野が生まれているという。

アーティストの三原聡一郎は、3・11以降、「空白のプロジェクト」と題したシリーズをエフェメラルなメディア（音、泡、放射線、微生物、苔、気流、土、電子、水……）を介して展開してきた。また、並行して日々取り組んでいるのがコンポストである。近年は、アーティストとしての滞在先で地域の人々の協力を得たプロジェクトへと発展し、二〇二一年からは、本人が生涯継続するというコンポストのプロジェクト「土をつくる」を開始した。自動で回転することで空気を取り込む自作のコンポストを自宅に設置、その状況をライブで二十四時間三百六十五日配信するこのプロジェクトは、自宅の食材をコンポストと分け合い――揚げ物などコンポストの「好物」をメニューにすることもあるという――、微生物とのコラボレーションでできた堆肥を使うことにより、生命の循環や自身の延長としての食物連鎖のミクロな実践となっている。日々コンポストと「対話」することで、自身とコンポストのただならぬ関係（親密さやつながり）とともに、生と死、人間と土、人間と微生物など生物学や哲学をまたぐ多様な思考が発酵し続けている。ダナ・ハラウェイが、「我々はみなコンポストなのであって、ポスト－ヒューマンであるわけではない」と述べたことを思い出す。※6

三原は、自分が死んだらコンポストに入れてほしい、と言っている。先述した中間貯蔵施設の見学に彼と松谷容作（美学）とで向かう路上、死後どうしてほしいかという話題で盛り上がったが、多様な埋葬文化が注目されながらも、死後の身体をコンポストとして活用することの法的ハードルや、「個人」で行うことに関して地域社会の理解を得ることがまだ難しい、との結論になった。その直後、米国で「コンポスト（堆肥）葬」が三州で認可され、サービスが開始されていることを知る（三原に伝えると、「面白いけれど、お金払ってまでしたくない。個人的に地に還る方法を探していて、いまのところ土葬が近いと思っている」とのことだった）。

コンポスト葬を知ったとき、二〇〇五年に「オープン・ネイチャー——情報としての自然が開くもの」展[※7]でキュレーションした作品のひとつ、福原志保＋ゲオアグ・トレメル（現BCL）の《バイオプレゼンス　２０５５》（二〇〇五年）を思い出した。人のＤＮＡを木に植えつけて「生きた記念碑」とするサービスをアートとして提案することで、生命観、倫理観を広く社会に問いかけるもので、インスタレーションの一部として棺おけサイズのガラスケースの内部に土を盛り、人型に蒔いた種が会期中に育って形が浮き出てきたときには心がざわめいたものである。

ここで二つの引用をしたい。

地層も、土や泥を五億年かけて堆積した生き物の死骸と考えると、生物が鉱物や泥になって地層をつくったり、反対に地層から生き物が生まれたりという循環が見えてくる。ビオス（生命）とジオス（地球）のレベルは互いに連動していて、そのうえで初めて人類は生きられる。

――石倉敏明[※8]

毎日毎日、私は、遠い昔から今この瞬間までのあいだに生まれて生きて死んで朽ち果てていった無数のものたちの死骸と共に生きている。いろんなものたちの死骸が混ざって分解されて、その残りカスが積み重なったもの、それが土。私がいつも《わたし》だと思い込んでいるものはそんな死骸たちのうちの一つでしかなくて、そのことを思うと生きる力がこんこんと湧いてくる。

――よしのももこ[※9]

土地、土、大地、コンポスト……。これら作品や引用は、いずれも人間と人間以外のさまざまな存在とともに循環するプロセスとして、世界を捉えるまなざしに拠っている。それは人間が自然を征服し、循環できないものを生み出し地球を汚染してしまった頂点としての二〇世紀に向き合うことから始まるだろう。

大地とその彼方（Land and Beyond）

未来への希望も込めて、キュレーターを務めた展覧会、上村洋一＋エレナ・トゥタッチコワ「Land and Beyond――大地の声をたどる」展（POLA MUSEUM ANNEX、二〇二一年）を最後に紹介したい。それぞれの思いで北海道の知床と向き合ってきた上村とトゥタッチコワの最新の歩みを、ひとつの空間において交差させる初の試みで、このために三人で知床の現地滞在も含め対話を行った成果でもある。上村は、流氷にフォーカスを当て、フィールドレコーディングを基軸にしたサウンド、平面、インスタレーションや写真を展示、トゥタッチコワは、二〇一四年から同地に何度も通いながら自然と地域の人々との関係に分け入っていく中で、とりわけ「歩く」というプロセスから生まれた写真や映像、ドローイングやテキストを展示した。

タイトルの「Land」は、知床の土地や大地、そして冬の間に現れる流氷という「仮の大地」（上村）を意味している。知床は、北海道東部に突き出た長い半島で、「地の果て」というイメージをもつ人も多い。知床の名は、アイヌ語の「シリ・エトク（大地の突端）」に由来する。この地は、東京から見れば最果てに見えるが、歴史的には決して果てではなかった。

かつてオホーツク海を介してユーラシア大陸やサハリン、千島列島に至るまでオホーツク文化やトビニタイ文化が栄え、人々や物が移動していた。アイヌの人々も住んでいた。知床は、海を介したネットワークの重要なノードのひとつだった。流氷（年々減少しているという）もまた、大陸のアムール川を源にオホーツク海で形成され、遥々知床に漂着し、養分が溶けることで海に豊かさをもたらす存在である。いずれもここにたどり着き、しばらく留まりいつかは消えていく……流氷が、人とも重なって見えてくる気さえする。さまざまな情報の流れが、ミクロ・マクロの時間や空間の中で、ときには形を成しながら変化し続けている。固く安定しているとみなされがちな大地も、地球史的なスパンでは同様であるだろう。タイトルの「Beyond」は、固定的な大地の概念を、想像的に越えていく可能性としてある。「今ここ」だけではない、過去や未来に連なる時間や、空間的に延長されうる地や存在へと。二人のアーティストが、知床の大地に寄り添い、その声をたどろうとする行為は、大地と海、歩行と思考、自然と人工、知覚できるものとできないものへと向けられている。大地の未来は、私たちの想像と実践の延長にある。

※1　北山耕平インタビュー「地球の上で生きるとは」、『スペクテイター』vol.17「特集・日本放浪旅〜Vagabonding in Japan」、二〇〇七年。
※2　原題は『Into Eternity』。
※3　ブルーノ・ラトゥール『地球に降り立つ──新気候体制を生き抜くための政治』川村久美子訳、新評論、二〇一九年。
※4　筆者が共同ホストを務める「e講」第二回「フォッサマグナと諏訪・八ヶ岳山麓」、次の一万年クラブ主催、二〇二一年七月二日。
※5　「東京礫層──Tokyo Gravel」オープン・ウォーター実行委員会主催、iwao gallery、二〇二一年。
※6　ダナ・ハラウェイ「人新世、資本新世、植民新世、クトゥルー新世──類縁関係をつくる」高橋さきの訳（原文は二〇一五年）、『現代思想』二〇一七年十二月号「特集・人新世」。
※7　「オープン・ネイチャー──情報としての自然が開くもの」展、NTTインターコミュニケーション・センター［ICC］、二〇〇五年。
※8　藤浩志×石倉敏明「ヒューマンスケールを超える資源と物語」、『美術手帖』二〇二〇年六月号「特集・新しいエコロジー」。
※9　よしのももこ「《わたし》は土に還れるか?──離れ小島でメンドリと暮らす」、『スペクテイター』vol. 47「特集・土のがっこう」、二〇二〇年。

地底人とミラーレス・ミラー

「わたしの穴　美術の穴」という謎めいた名前のアート・プロジェクトの活動として、「αM+ vol.2 わたしの穴　美術の穴――地底人とミラーレス・ミラー」と題された二つの展覧会が開催された（gallery αM、二〇二〇 - 二一年）。この展覧会は、高石晃、石井友人のキュレーションによる。「穴」をめぐって掘り下げたこの二つの展覧会に触発され、いささか自由に「批評 - エッセイ」を展開してみたい。

「穴」とは何か？

高石、石井による「わたしの穴　美術の穴」は、二〇一四年に活動を開始した。このプロジェクトでは、一九七〇年に高山登が住むアパートの敷地で高山、榎倉康二、藤井博らによって行われた野外展示「SPACE TOTSUKA 70（木・壁・草・土・家・石・空・地・火・空気・水…）」を、美術そして社会の転換点とみなし、とりわけ藤井らが大地に掘った「穴」を検証し現在に再接続する試みを行ってきた（高山らは、一九七〇年代前後に展開された「もの派」の動きと関わりつつも、独自の試行を重ねてきた）。二つの展覧会は、彼らの数年の活動の到達点であり、新たな挑戦である。プロジェクト名と同様に、二つの展覧会「地底人」と「ミラーレス・ミラー」でも「穴」が通奏低音をなすテーマとなっている。

ならば穴とは何か。ふり返ってみれば、物理的、機能的、概念的など世界には至る所に穴がある。しかもほとんどは見えにくい。いやそれこそが穴が穴たる所以であり、何か別の構造が前提とされてようやく穴は可視化される。穴とは窪みや奥行きのある空間もしくは管やトンネルであり、空虚あるいは何らかの滞留場であり、別世界そのものさらには別世界へのインターフェイスとしてある。穴をさまざまなものや解釈を許容する可能性の場として提示することは、世界の中で抑圧されているものを掬い上げる試みであるだろう。それは同時に、無意識的に稼働しているさまざまな力を可視化することでもある。

高石、石井はそれぞれ「穴」を、下へ貫入するもの（垂直性）と横方向に交通していくもの（水平性）として捉えている。前者は進むほど暗黒で不確かとなり、現実世界から遠ざかる。後者は異なる複数の穴をめぐり続けるプロセスによって、世界を複層的なものとして浮上させるだろう。また前者の穴は、即物的な地下や地中の世界を示すとともに、無意識や過去に追放された事物や歴史へと遡行する。それはまた異界――死者や霊的・神秘的な世界――へとつながっていく。後者は、石井によれば、眼球やカメラなどイメージを受像する穴状の空間として想定されたというが、加えて映像が反射し連鎖していくプロセスも含むだろう。両者は、闇と光、奥行きと反射の連続体として対比的に捉えられる。しかしそのような対比をよそに、ものとしての素材や深層へと斬り込むプロセスにおいて、両者は実はただならぬ関係性にあるのではないか。

地底人――地下に入り、戻ること

絵の具や支持体の物理的な歪みや切断などによって、絵画を絵画たらしめる極限を侵犯し内破するかのような表現を展開する高石は、「わたしの穴　美術の穴」では寡黙に大地に穴を掘り続けてきた。絵画であれ大地であれ、表層から深部を掘り下げるフィジカルで求心的な探求が高石のもち味といえる。穴については「SPACE TOTSUKA 70」での榎倉康二の《湿質》（一九七〇年）、藤井博の《波動B》（一九七〇年）、そして高山登の《ドラマ地下動物園2》（一九七〇年）が念頭にあるのはいうまでもないが、村上春樹の『1973年のピンボール』も参照項であるという。奇しくも主人公が空き地に穴を掘るシーンがあり、それも一九七〇年の冬、つまり「SPACE TOTSUKA 70」と同時期の設定であることが決め手となった。

高石の穴を、これまで二度見たことがある。矩形の穴、内部に階段の形状が造られたL字型の穴はいずれも生々しく、地層にはその土地がたどってきた自然や歴史の痕跡が確認できる。高石にとって、大地は私たちの生、身体そして世界の基盤かつ根源である。でありながら意識下に追いやられ、人間により領土化されてしまっている。高石は地表から地中へと斬り込むことで、見えないものや隠されたもの、忘れ去られたものを召喚しようとする。穴は裂開であり傷である。痛みとともに過去の記憶を表出させることで、穴は生きている者に省察を促し、ひいては過去へと遡り、そして人間を癒しうる契機となるだろう。

展覧会「地底人」と「ミラーレス・ミラー」の舞台となるギャラリーは地下にあり、階段を降りる。「地底人」では、空間に入ると、漆黒の枕木による構造物が存在感を放っている。高山登の《地下動物園》(一九六八／二〇二二年)である。枕木には、かつて日本が植民地に敷設した鉄道や炭鉱労働の意味が込められているという。そこからアウシュヴィッツを含む二〇世紀の負の歴史(鉄道で運ばれた多くの人々が虐殺され地下に埋められた)へと沈思が深まっていく。東浩紀は、「悪の愚かさについて、あるいは収容所と団地の問題」において、収容所の跡地に建てられた団地を取り上げ「二〇世紀前半の大量死のうえに、大量生の繁栄を築きあげた現代文明」を脱構築しているが、[※1]ここ百年において起きた「大量死」「大量生」の象徴には、枕木も動物園(見るための近代装置)も含まれる。高山による下降し、上がる階段状の構造物は（高石の作品にも同様の形状が取り入れられている）、埋もれた過去、地下や無意識の世界に下降し、地上に戻り、また入っていく無限の循環を誘導するかのようである。東は同論において、村上春樹の小説『ねじまき鳥クロニクル』での「井戸に潜ること」に言及しつつ、「加害者、あるいはより広く加害の文化の継承者は［中略］加害を忘却するのでも、また被害者の物語に身を委ねるのでもない、加害そのものの愚かさを記憶しつづけることができるのではないか[※2]」と記している。筆者には、高山と高石をつなげるくだりのように思われる。

《地下動物園》の向こうにある高石の作品では、ギャラリーの床が正方形に開口し、通常見ることのない不可視の位相つまり地下空間が露呈（！）している（口絵P5参照）。覗き込めば傾斜した地形が広がり、まさに異世界である。ホワイトキューブの隙間から、人間が表層的に支配する世界のすぐ下に広がる自然と遭遇したときの驚き。フラットな街並みが起伏のある地盤上に構築されていたことを知り、都市が人間以前の様相を帯びて浮上し始める。高石は地下に入り込み、そこの土をひとつは高く、ひとつは低めに盛り上げて造形し、そのまま置いている。前者の上部はくっきりと矩形を呈し、後者のそれはのっぺりとした平面で、その中央に丸い穴が空いている（床に開いた穴の中にある穴……）。地下空間や造形物の詳細は、カメラ越しに床上のディスプレイで中継されている。床の蓋はもともとあったというが、高石がそれを開け放ち、ギャラリーと地下世界とを接続したことは特筆に値する。本展では、高山の地下への下降と上昇に加え、高石の穴の中の穴という入れ子構造が、観るものを無限の上下運動へと誘っていく。

高山作品の物質的深度とそこから誘導される想像的地下空間から、高石による実際の地下空間との接続を経て、ニコライ・スミノフの《死、不死、そして地下世界の力》(二〇一九年)、そして《ソノポリティックス(地下の政治学)》(二〇二二年)へと到る。《死、不死、そして地下世界の力》は二〇一九年のウラル・インダストリアル・ビエンナーレでの展示を再構成したもので、床上の複数のディスプレイでは、ロシア・サハ共和国の永久凍土上の都市ヤクーツクにおける地下深くの永遠の博物館構想(一九二〇年代、ソ連の永久凍土科学の創始者ミハイル・サムギンによる)を基点に、凍った地下空間での絵画展の風景や、地球温暖化の影響で溶け出した永久凍土から冷凍状態で発掘された古代仔ウマ[※3]などの映像が上映されている。

一九世紀後半から二〇世紀にかけてのロシアでは「宇宙主義」が流行し、その中には不老不死や宇宙進出を提唱したロケット工学の先駆者コンスタンチン・ツィオルコフスキーなど、科学・技術で自然を制御しようとする極端なユートピア思想も含まれていた。また一九二〇年代には、民族主義的なユーラシア主義が台頭した。これらはいずれも非西欧的なアイデンティティを基盤としている。高石によれば、スミノフは前者のような神秘的ユートピア思想を、現代における「テクノアニミズム」と同様に現状に対するオルタナティブとして評価しているという。そしてスミノフは一方で、後者が現代に反動的な形で回帰してきたものとして、プーチンに代表される「新ユーラシア主義」を批判している。彼は、人為的に国境が変えられ資源搾取や汚染が止まない「地下世界」を、アニミズムや神秘主義へと引き戻すだけでなく、人間以前の始原へ向かわせることで救済しようとする。筆者は神秘的ユートピア思想にも「テクノアニミズム」にも距離を置いているが、スミノフの地下への／からのまなざしには共感を覚える。ギャラリーの壁面全体には、呪文のようにスミノフの《ソノポリティックス》のテキストがロシア語で表示されている。床のディスプレイの手前には、石が数個置かれており、よく見ると表面に穴や迷路、人間の頭部のような線刻画が施されている。高石がさりげなくスミノフの作品エリアに差し込んだものである。続縄文時代の線刻画が日本海をはさんでロシア極東部や北海道（余市や小樽）の洞窟で発見されている事実から、ロシアと日本を関係づけたのだろう。[※4]

「地底人」では、存在しないとされていたもの、忘却されていたものが観る側に突きつけられる。それはまた同時に、「誰が私たちを見ているのか」という疑問を湧き起こさせる。もしかしたら穴の向こう側や地下から、人間以外の存在が私たちを見ているのではないのかと……。しかしそこには私たちも含まれる。この展覧会では訪れた者それぞれが「地底人」となり、地下から世界を見返すことになるからだ。暗黒の地下世界においてはまた、「観る」という行為やシステム自体が宙吊りにされ、ひいては「誰のための展覧会なのか」「観者とは誰か」……と、問いが問いを生み出していく。そしてそれこそが、「穴」が可能性の場として立ち上がる瞬間なのではないか。

地下世界に潜った後、ギャラリーの反対側へと向かうと、そこには明るい空間に高石の小さな絵画《Inner Surface (Stairway)》(二〇二一年)がある。えもいわれぬ歪みや皺、肌理をもつぬめりとした印象の表面には、タイトル通り階段のようなものが見える。そしてその前にある天井にまで至る既存の書架には、梯子が設置されている。観る側は、見上げることで想像的に地上もしくは天空へと誘われていくだろう。そうして(胎内めぐりのように)地下の暗黒を経めぐった後で、階段を登り、地上界と戻っていく。

地球深部からの呼びかけ

地下といえば、長野県諏訪の地下伝説を思い出す。甲賀三郎が、姿を消した姫を探して蓼科山の大穴から「地下の国」をめぐり、しばし幸福な日々を送るが、ある日地上が恋しくなり、ようやく戻ったものの、池の水面に映った自身を見ると蛇と化していたという。この話を念頭に制作された映画「ものがたりをめぐる物語[※5]」では、諏訪での撮影を中心に、東日本大震災被災地である陸前高田などの映像とともに、日本の風土についての言葉がちりばめられている。大地、土地、地下世界、そして開発や復興のための採土による風景の変化……。映画では、近代化の弊害や環境破壊に対して、自然や風土にあらためて向き合うことが提起されている。

地下世界は人間に、貯蔵や保管、隠蔽、埋葬などの目的で使用されてきた。そこには不要なものや忘れたいもの、死体などが埋められてきた。人間は同時に地中から、作物や資源、遺物や遺跡などを掘り出してきた。地層は地球の歴史を物語るアーカイブである。過去の地殻や気候の変動の痕跡であり、動植物の成分や化石が層となったリソースでもある。「人新世」という地質年代への注目が社会に広がり何年も経つが、高石や石井の「穴」をめぐるまなざしは、時代の動きをいち早く自身で感知したことによるものだろう。二〇一一年三月十一日の東日本大震災とともに起きた東京電力福島第一原子力発電所の事故は、事後処理や、長期にわたる放射性廃棄物や汚染水処理の問題を抱え、現在も収束していない。それどころかすべての放射線が消滅するには十万年ともいう気の遠くなる時間を要するという。汚染は国境を超え、地球規模で拡散していく。そこには人間を超えたまなざし――非人間である動植物やものからの――が必要とされる。

「SPACE TOTSUKA 70」は、急速なグローバル化や高度経済成長の時代（原発が稼働し始めた

「パート1：地底人」展示風景、キュレーション：高石晃
撮影：加藤健

高山登《地下動物園》1968／2022年、枕木、95×220×220cm
撮影：加藤健

ニコライ・スミノフによる論考／展示プロジェクト《死、不死、そして地下世界の力》（2019年）より
上記作品内｜イリナ・フィラトヴァ《永遠の地下美術館》2016年、4チャンネル・ビデオ

時代でもある）において、社会や美術への危機感から直感的に大地という根源へと向かう極限的実践であった。約半世紀後、気候変動やデジタル化、そして福島原発事故後の時代において「わたしの穴　美術の穴」は、地下を異界として捉えるだけでなく同時に土や土壌、そして微生物などミクロな存在へのまなざしからも捉えようとしているように思われる。二〇二〇年全世界を席巻した新型コロナウイルス感染症は環境破壊が要因のひとつともされ、そこでは土や土壌との関わりも指摘されている。[※6] その上、二〇二二年には、世界史を大きく変える衝撃的な事件が起きた。「地底人」が終了した十二日後の、二月二十四日に勃発したウクライナ侵攻である。

モスクワに住むスミノフは、事態を憂慮しステートメントを発表、「想像力と同じように地下世界の力は諸刃の剣」であるとしながら、反戦や反帝国主義的な想像力として地下世界の深淵を召喚し、戦争を中止するように呼びかけた。それを受けた高石が、自らの言葉とともに三月二十九日にステートメントを公開している。高石は、「地底人」展が「国家的暴力に抑圧されたものの立場に立つことをあらためて確認し、戦争反対を表明」するとして、スミノフの描く地下世界が植民地主義的暴力に抵抗するものだと述べている。高石はまた、展示で壁にロシア語で展開されていた《ソノポリティックス》の写真をスミノフの承諾のもと加工し、「戦争反対」というメッセージにして発信した。豊かな土壌と石炭資源に恵まれたウクライナは、ロシアが重視してきた地域である。これまで多くの戦争がエネルギーや資源をめぐって起きてきたが、ここも例外ではない。人類は、土地の争奪や国境をめぐる攻防をくり返してきた。穴の中へ、地中の奥深くへ分け入ることは、人間界から遠ざかり、根や微生物や骨などそこここに埋まり堆積しているもの、死んだものから世界を見直すことに他ならない。「地底人」は、人類史を超えた悠久の地球深部（穴）から、私たちに呼びかけ続けている。

ミラーレス・ミラー――多重反射する作品と知覚

「ミラーレス・ミラー」では、展示に入る前からただごとではない。地下に降りても会場に入れない。チェーンが渡されガラスの扉で遮断された向こうには、おびただしい数の斧入れでえぐられた作品、多田圭佑の《Heaven's Door #4》（二〇二二年）が見えるものの近づけず[※7]、それに背を向けて地上に戻り、ビル裏に回り通用口から降りることを余儀なくされる。観る者は、そこで心身ともども別モードに入ってしまう。会場ではまず、鏡、カメラ、プロジェクションが異なる時間や空間を入れ子的につなぐ津田道子の《借景トリローグ――振り返る》（二〇二〇／二〇二二年）に迷い込む。次に遭遇するのは正面の壁にある藤井博の作品《石と人（石・石粉・人等）》（一九七二／二〇二二年）、石を砕いた粉を頭上から浴びている、つまり石の内部に入り込んだパフォーマンスの記録写真である。そして同じく藤井の立ちはだかる大ガラス（反射する透過体）には、立てかけられた木材がガラス表面の砂を擦り落とした生々しい痕跡が残る《内へ・外へ》（一九七八／二〇二一年）。後者は、向こうの空間を物理的に遮断しながら（ノイズ的に付着する砂とともに）透過し反映するインターフェイスとして、観る者を圧倒する。ガラスの向こうには、壁面プロジェクションやディスプレイの映像を中心に絵画や平面作品が見える。「地底人」とはまったく異なる導入と空気が支配する空間には、石井を含む九人の作品が周到な位置関係で展示されている。やがてその上で、各作品に内包された多層性や入れ子構造が、多様な「ミラー」的体験を派生させていくだろう。

藤井作品を一種の結界とし、「ミラー」を「穴」と見立て、ガラスや鏡などの反射体に加えてディスプレイそしてヴァーチャル空間へと派生する世界に入っていく。もっとも手前には、谷口暁彦の《骰子一擲》（二〇一八年）と《Parallax》（二〇二一年）が右と左に置かれている。マラルメの一八九七年の詩「骰子一擲」を参照した前者は、サイコロが落ちたテーブル上の風景の3Dモデルを3Dプリンタで出力したオブジェ（サイコロを含む文具や石が合体した造型）とプロジェクション（されたサイコロにどこかの風景が重ねられる）によって過去と現在、未来を接続しようとする。後者では、来場者がヴァーチャル空間内のiPhoneで撮影をすることで、実空間との視差（Parallax）や世界のメタ的構造を体験するだろう。続く左右の壁面には、

「パート2：ミラーレス・ミラー」展示風景、キュレーション：石井友人
撮影：石井友人

藤井博《内へ・外へ》1978／2022年、ガラス面・床・角材・石・石粉等、サイズ可変
撮影：石井友人

津田道子《借景トリローグ——振り返る》2020／2022年、インスタレーション、サイズ可変　撮影：石井友人

三宅砂織の《Garden（Potsdam）》（二〇一九年）、《Garden（Wadakura）》（二〇二二年）がプロジェクションされている。どちらも公園の噴水を撮影した映像を白黒反転（ネガポジ）したものだが、前者は三宅の関係する人物が体操の選手として一九三六年のベルリンオリンピックに出場した際に撮影したポツダムの噴水の写真（重力に抗う人間の技術を象徴）を参照元としており、後者は東京オリンピックが開催された二〇二一年に撮影された皇居外苑の和田倉濠近くの噴水である。その二つが向き合うことで、公私に関わる日独の歴史から省察が喚起される。壁面に谷口と三宅の映像が並ぶ展示は、カラー／モノクロ、ヴァーチャル／写真ネガ、そして時代的な対比とともに、社会的抑圧の変容（国家的なものから日常的無意識へ）を呼び起こす。そこからふり返ると、谷口の３Ｄプリンタ出力の石と藤井作品の石が呼応するかのようである。

奥に向かうと敷地理の《burning dots spring remix 2022》（二〇二二年）がある。吊られたディスプレイの映像（三種）に加えてiPhone上の写真アプリを介して近年流行ったＡＳＭＲ[※8]的体験をすることが意図されている。敷地はまた境佑梨と共同で、日常の身体感覚がウクライナの状況へと重なっていくことを念頭に置いたパフォーマンスを会期中に実施した。[※9]敷地のディスプレイの向こうには石井の絵画《Sub Anaglyph (pachira)》（二〇二二年）があるが、円や穴などのモチーフの何ともいえない触感や艶めかしさで両者が共振して見える。石井の作品は、通常時のギャラリー入口にある受付カウンターの後ろの壁にある。生麻、モデリングペースト、油やアクリル絵の具、UVプリントを素材にし、壺などを想起させる抽象的な形象をはらんでいる。赤、青で着彩された複層的なイメージは、観葉植物をビル内外から撮影することでガラスの反射と透過を取り入れたものだという。突端が光と地中へ向かいながらも人の管理下にある観葉植物。石井の身体の動きによって描かれたイメージとUVプリントで出力されたイメージが交錯する奇妙な質感や立体感の中、中央にある穴のような形象が別次元へ誘うかのようである。

そこから左の壁面に、初めに外からチェーン越しに対面したあの多田の《Heaven's Door #4》がある。壁にかけられたドアの表面に刻まれたおびただしい痕跡が、作家が振り下ろした斧のバイオレンスによることを、観る側は知っている。と同時にそれは、ドアから恩寵の光が放出されるようにも見える。ドア内(もしくはドアの向こう)に閉じ込めた光を得る(外在化させる)には、表層を壊しえぐるしかなかったかのように。実物のドアを型取り絵の具を流して作られたドアとしての支持体もしくは物体。絵筆の代わりの斧。絵画にも彫刻にも収まらない力の痕跡、そして「光」の放出の生々しさ。メディアは異なるものの、表層の自明性に介入するダイナミズムにおいて、多田と藤井の作品が接続される。

展示空間の最奥部にあるのが、本展のタイトルともなった大川達也の《ミラーレス・ミラー》(二〇一七/二〇二二年)である。近づくと、観る側の姿が漆黒の闇の表面に反射するが、ミラーは非物質であり、内部に手が突き抜ける。最新の光学プレートの効果と大川の設計した光学装置により可能となった反射しながら通過してしまう体験は、観る者の意識を一瞬宙吊りにしてしまう。その上で作品は、世界や知覚の自明性を問いかけ始めるだろう。

本展ではもう一作品、雨宮庸介の《壁のなかの手鏡》(二〇二一年)が出展されている。タイトル通り、壁の中にある本作は、実際には壁面の基底部が手鏡状に彫り込まれ、そこに鏡をはめ込むことで、壁の一部と化している。手鏡は、存在しながらも見ることができない背反的な状況にある。つまり作品は「存在する」と信じられ、想像されることで存在し、闇の中に封印され「潜在する鏡の反射を秘めている」(石井)という。そしてそのことによって、高石の「地下空間」へと接続されている。石井は、映像であふれる日常と身体との関係を思索する中で、「自他の境のない、人間の非-人間領域=〈享楽〉」を、映像が多重に織り込まれた絵画として表現してきた。ここにおいて、それぞれ孤高の存在である石井と大川、雨宮の作品相互が呼応し始める。

「ミラーレス・ミラー」では、通常統合的に働きがちな知覚や感覚がもはや自明でなくなり、横滑りをし続ける。ガラス、ディスプレイ、プロジェクション、絵画、平面、反射する暗黒や封印された反射……いずれの作品も、その物質性や表示されるコンテンツ、もしくはヴォイド的な様態において複数のフレームや世界を宿し、相互に反射し、ときに軋みながら派生が派生を連鎖させていく。しかしそれはシミュラークルの連鎖ではなく、あくまで「もの」や「穴」が起点となっている。「ミラーレス・ミラー」では、視覚のミラーリングを扱いながら、視覚の整合性から逸脱し続けるプロセスの中で、それ以外の感覚がむしろ喚起され膨れ上がっていく。そのような中、ふと思う。石井の絵画は、それが面している会場全体（大川と雨宮作品以外）を俯瞰し、同時に空間の可視／不可視的な映像や反映を吸収しつつ、多重的に反射する作品や知覚をメタ的に表象しているのではないか。実は石井の絵画に、「ミラーレス・ミラー」の展示が概念的に織り込まれているのではと。

デジタルへと延長されるミラー、そして土

「ミラー」といえば、板ガラスの背後に銀が塗られた鏡が一般的には連想される。しかしこのような歪みの少ない鏡が発明され普及したのは一九世紀前半以降であり、それまではガラス、それ以前は銅鏡などの金属素材が顔や姿を映すために使われていた。遡れば黒曜石などの石、また人類がもっとも古くから鏡として使ってきたのは水面であることはナルシスの神話の通りである。近代以前は、鏡の使用頻度も使用する人々もかなり限られていた。つまり近代において鏡が流通すると同時に、自己像の把握とともに「反映」や「省察」という概念

が浸透し始めたといえる（自画像が増加する時期とも同期する）。

一八五一年の第一回万国博覧会（ロンドン）ではガラスと鉄骨による水晶宮が登場したが、透過と反射が織りなす建築は、当時の科学・技術の粋を集めたものだった。ガラスは硬く固定的な感触だが、実は分子構造的には液体に属する。「分子が規則正しく並んだ構造をとる結晶」が固体であり、内部にランダムに分子がつまったガラスは「動きが凍結した液体」だという。[※10]人間の知覚では「固体」と認知されながらも、分子レベルでは「液体」であるガラス。同じ対象であっても観察主体やスケール、分析方法に応じて異なるものとして認識され位置づけられる。ひとつの視点からは矛盾に見えるが、複数の視点を前提とすれば矛盾ではない。むしろ異なる視点の集合体としてこそ、ものや現象はあるのだろう。「矛盾」を感じる前提としての世界観や世界把握の方法自体が、今まさに問い直されている。ガラスというものの特異性は、想像的に「ミラーレス・ミラー」――展覧会タイトルそして大川作品――そのものの特異性と接続しうるのではないか。

鏡に戻れば、その普及は銀塩写真が発明された時代と重なっている。写真において人々は、ガラス乾板に定着された像として世界や自身と事後的に出会えるようになった。一九世紀末に登場した映画は、フィルムに連続的に焼きつけた画像をリールで回し投影することで時間軸を導入した。一九六〇年代以降にはビデオカメラによるリアルタイム・フィードバックと

左｜多田圭佑《Heaven's Door #4》2022年、アクリル・ピグメント・コットン・ウッドパネル、180×119×6.5cm
右｜石井友人《Sub Anaglyph (pachira)》2022年、油絵具・アクリル絵具・モデリングペースト・UVプリント・生麻、130.3×89.4cm
撮影：石井友人

大川達也《ミラーレス・ミラー》2017／2022年、光学装置・照明・スチレンボード、61×54×60cm　撮影：石井友人

いう新たな鏡像作用が生み出されていく（その現象学的側面に注目したコンセプチュアル・アーティストのダン・グラハムは、七〇年代にかけて数々の実験的作品を発表、のちにはハーフミラーを使った作品を屋内外で手がけている）。デジタル技術が普及した現在では、「ミラー」もしくはミラー的な効果は新たな展開を遂げている。パソコン上の「ミラーリング」、カメラの「ミラーレス」をはじめ、スマホを手鏡の代用とすること、メタバース空間のアバターや「デジタルツイン」など、「ミラー」という概念はますます複層的なものへと拡張している。こういった文脈から「穴」を捉えるならば、「穴」は形状やシステムとしてだけでなく、実空間やヴァーチャル空間を行き来するインターフェイスと捉えることができるだろう。

ふたたび穴、そして地下世界を回避しながら「ミラーレス・ミラー」へと至ってみたい。まず、あらためて意識には上りにくいが、私たちの世界を構成するほとんどのものは、自分たちの身体も含め土に由来している。[※11] 本展のテーマとして重要である反射素材や映像機器も同様である。ガラスは、シリカを主成分とする珪砂にソーダと石灰を加えたもので、ディスプレイ、プロジェクタ、iPhoneなどの機器、3DやUVプリント素材、またそれらの制作過程で使用される機器も地中からの資源でできている。このことは、「地底人」と「ミラーレス・ミラー」を、原料と製品、起源と派生、搾取と享受という関係において結びつける。前者から後者への変容を推進したのが近代の科学・技術である。高石と石井は、土や大地を素材や対象として近代が可能にした技術的展開を活用しながら、そこに近代からはみ出てしまうものや現象（反映、虚像、多重反射……いわばハイブリッド的な「亡霊」……？）を、過去そして現在から召喚する。

さらに「地底人」と「ミラーレス・ミラー」から、唐突ではあるものの、筆者は長野県の諏訪湖を想起する。諏訪湖の下では、南北にフォッサマグナの糸魚川‐静岡構造線が、東西に中央構造線という大断層が交差している。むしろ諏訪湖は、これら断層のせめぎ合いにより誕生したという。いわば地中深くに渡る十字状の亀裂であり、「穴」である。穏やかな水面は周囲の風景を映す「鏡」のような様相だが、冬場には結氷し（固体化）、毎年ではないものの氷がせり上がり、うねりながら湖上を線状に走る「御神渡り（おみわたり）」とよばれる自然現象が起きる。その形状はあたかも蛇のようである。※12 御神渡りの氷の形が、湖深部の断層と関係があるかは不明だが、穴がもたらす特殊な地勢や水流、そして気候が生み出す、極めて特異な現象であることは確かである。

シュルレアリスムの新たな実践

ルイス・キャロルは一九世紀半ばにカメラをいち早く入手し、少女の撮影に入れ込んでいた。カメラはカメラ・オブスクーラ（ピンホールが外界を反転させ内部に像を結ぶ箱）の発展形であり、カメラ・オブスクーラはルネサンスの遠近法にも影響を与えた。X、Y軸を基盤に空間を静的に定着させるカメラは、まさしく近代的システムの産物といえるだろう。同時代には、ゾートロープやパノラマなど、写真や絵画を元に視覚的イリュージョンを誘発する娯楽装置が発達したが、各人の知覚に働きかけることで近代を超えるものを志向していたとも解釈できる。その後映画が登場し、集団的な没入的娯楽装置として二〇世紀に浸透する。現在はさらにVRやAR、プロジェクションマッピングそしてヴァーチャル空間へと延長されている。近代を表象するカメラという装置はもとより、上述の視覚装置はしかし、システムによる知覚の支配やコンテンツの意味への従属を前提としており、その意味で近代に束縛されている。

「地底人」と「ミラーレス・ミラー」はいずれも、そのような知覚の支配から逸脱し、地中の暗闇や無意識（底がわからない）、反射や透過などヴァーチャルも含めた迷路のような連鎖（終わりのない）のただ中へと誘う。さらにこの二つの展覧会は、キャロルが執筆した二つのアリスの物語——『不思議の国のアリス』と『鏡の国のアリス』——と同期するようにさえ見える（前者が「地底人」の穴、後者が「ミラーレス・ミラー」的世界）。『不思議の国』の冒頭では、懐中時計を持った白ウサギが急いで穴の中（不思議の国）に駆け込んでいく。穴の向こうの「不思議の国」は、カメラ・オブスクーラのような反転はなく、言葉や論理の横滑りが頻発するナンセンスかつシュールな世界で、時間や空間スケールが変化し続ける。数学者であったキャロルは、産業革命とともに社会の規律化が進んだ時代において、カメラの穴、不思議の国の穴や鏡の世界を通して近代から逸脱する世界に生きていた。それはからずもシュルレアリスムに通底しているように思われる。実験的な視覚詩も残しているキャロルを、さまざまなメディアを駆使したシュルレアリストの先達の一人とみなすことができるのではないか。

カメラ・オブスクーラが近代的な装置であるなら、近代を超えていく装置と筆者が考えるのがプロジェクタである。いずれも箱状の装置だが、穴を通った光が外部の風景を内部に映す前者と反対に、プロジェクタは内部から光を外へと放つ。一七世紀のマジック・ランタンや一九世紀の映写機は整合的な像を結ぶための装置だが、いずれもプロジェクタとしての構造をもち空間に光を放つため、光源との間に人やものが入り込むことで像が乱れうる、つまり空間内で動的な現象を形成する。モホリ＝ナジの《光－空間調節器》(一九二二年)はその先見的な試みといえるが、その光の投影方式において重要な点は、プロジェクトすること(光の放出に加え、概念や方法としての「投企」)であるだろう。それは、不均質かつ動的な空間や社会に向けての問いの投げかけであり、受け取る各自がそれを受け止め応答する(response)／応答可能性・責任(responsibility)を引き受けることでもある。アートはそのような投げかけの連続であり、予定調和的な像や唯一の答えの不可能性こそが可能性となる。

一九七〇年前後において、「地底人」と「ミラーレス・ミラー」、そして無意識やシュルレアリスムと共振するものに、スタンリー・キューブリックの「２００１年宇宙の旅」（一九六八年）に登場する「モノリス」、そしてアンドレイ・タルコフスキーの「惑星ソラリス」（一九七二年）での「ソラリスの海」がある。前者は米国、後者はソ連と異なる体制に根ざしながら、宇宙や世界観においてはつながっている。科学や技術を発達させた人間という存在を問い、また人間の起源としての宇宙の謎もしくは無意識的なものとコミュニケーションしようとする姿勢である。それは「SPACE TOTSUKA 70」とほぼ同時期であり、人新世の大加速時代とも重なっている。直線的な立方体であるモノリスは、宇宙をワープし場所や時間を超越していく物質／非物質の境界も定かでない謎の黒い存在であり、一種の「穴」つまり底なしのインターフェイスとも解釈できる。ソラリスの白い海は、観る者の記憶や想念をインタラクティブに反映し物質化する液状のリソースであり、「ミラーレス・ミラー」を想起させる。黒と白、幾何学的存在と流体と対比的に見えながら、いずれも近代的な分類を超えていく変幻自在な可能態といえるだろう。

かつて筆者がキュレーターとして手がけたメディアアート・インスタレーションに、ソラリスの海を起点とした《polar》（二〇〇〇年[※13]）がある。本作は、十年後に同じアーティストとキュレーターで《polar[m]［ポーラーエム］》[※14]（二〇一〇年、P31参照）として展開したが、ここでは前者にあった体験者が入っていく半透過の空間（七×七メートル）がミラーのようにダブルとなり、一方は人が入れ（内部観察的）、他方は入れない（外部観察的）構造になっている。位相幾何学的には前者が穴をもつ、とともに両者とも半透過であることで、内部／外部の（そして内部／外部観察の）境界が曖昧になっている。近代科学においては、観察する主体と対象とを分離することで世界を静止的に把握し記述してきた。しかし二〇世紀初頭以降、観察者と対象は切り離せず、動的な関係をもつことで世界を把握していく時代へと移行した。ミクロやマクロの時間・空間スケールでは、近代科学が把握してきた（人間を中心とした）統一的な世界像がことごとく裏切られていく。既存の物質／非物質、固体／液体など、対立項とされていたものが、実は動的な組織化と分散のプロセスの中でつながっていることが浮上する。

シュルレアリスムは二〇世紀前半において、時間や無意識に向き合うことで近代や人間中心主義に疑問を投げかけた。それは社会や時代への危機感に根ざしたアクチュアルかつ批評的な挑発でもあった。「モノリス」や「ソラリス」、そして「SPACE TOTSUKA 70」を、一九七〇年前後という時代におけるシュルレアリスムの系譜として捉えることができるのではないか。近年人類学の領域では人新世を念頭に、「モア・ザン・ヒューマン」つまり人間を超えていくことを志向する「マルチスピーシーズ人類学」が自然科学や人文科学の諸領域を横断しながら検討されている。そこではアートそしてパフォーマンスが重要な要素として含まれている。「わたしの穴　美術の穴」は、このような動向と連動しながらシュルレアリスムを現代において拡張していく実践ともいえるだろう。

二つの展覧会は終了した……しかし展示は継続されている。高石が造形した作品は、床下に今も存在する（大雨などで崩壊し、土に戻っていく可能性もあるだろう）。壁の中には、雨宮の手鏡が暗闇にひっそり佇んでいる。これらの存在から見た人間、ギャラリー、東京、そして世界を思う。いやこれらの作品からだけではない。私たちは暗闇、無意識、不可視の底から今も観られ、同時に観続けることを託されている。「地底人」と「ミラーレス・ミラー」で開かれた世界は、記憶や想像の中そして日常の中に存在し、私たちを揺さぶり続けてやまない。

※1　東浩紀「悪の愚かさについて、あるいは収容所と団地の問題」、『ゲンロン10』、二〇一九年。
※2　同右。
※3　「「マンモス展」は、マンモスだけじゃない！　血液と尿が採取された「古代仔ウマ」完全体冷凍標本の世界初公開決定！」IT Life hack、二〇一九年四月十九日、https://itlifehack.jp/archives/10029428.

html

※4 紀元前三〜紀元後七世紀に主に北海道で続いた時代。

※5 「ものがたりをめぐる物語」（前後編）由井英監督、ささらプロダクション、二〇二二年。

※6 舩橋真俊（ソニーコンピュータサイエンス研究所）「表土とウィルス」など。

※7 入口手前の階段下では、多田圭佑《Heaven's Door #4》（二〇二二年）の斧入れの映像がディスプレイから流れている。

※8 ASMR（Autonomous Sensory Meridian Response）。知覚刺激が脳に伝達され、他者の感覚が乗り移ったかのような感覚を得ること。

※9 パフォーマンス《blooming dots for Ukraine + 31 eyescream》二〇二二年。

※10 日本物理学会会誌編集委員会「ガラスは固体？ 液体？」二〇一六年、https://www.jps.or.jp/books/gakkaishi/2016/05/71-05_70fushigi09.pdf

※11 小池真幸「スマホも食べ物も土からできている。土壌学者に聞いた「非」再生可能な土の未来」Yahoo! Japan SDGs、二〇二二年十月十一日、https://sdgs.yahoo.co.jp/originals/132.html

※12 蛇といえば、諏訪湖ではないものの、この地域の池で蛇としての自身に対面した甲賀三郎も想起される。

※13 カールステン・ニコライ＋マルコ・ペリハン《polar》、キュレーター：阿部一直、四方幸子、キヤノン・アートラボ、二〇〇〇年。

※14 カールステン・ニコライ＋マルコ・ペリハン《polar[m]［ポーラーエム］》、キュレーター：阿部一直、四方幸子、山口情報芸術センター［YCAM］、二〇一〇年。

力

鈴木昭男——世界の本源と共振する

鈴木昭男との出会い直し

鈴木昭男との出会いは、一九九四年のベルリンに遡る。DAAD[※1]の助成で現地に滞在していた彼と和田淳子をサウンド・アーティストのロルフ・ユリウスから紹介された。鈴木は、ストイックで遊び心に満ちた存在に見えた。子午線上の京都・丹後の山の上で、一九八八年の秋分の日にたった一人で周囲の音を体験するための《日向ぼっこの空間》を作った話は荒唐無稽に聞こえたが、夢を実現するただならぬパワーに圧倒された。鈴木は《日向ぼっこの空間》を機に丹後を拠点にし、かつて丹波王国として栄えたこの地で「古代の丘のあそび」と称したフェスティバルを手作りで催し、ユリウスやフェリックス・ヘス、クリスティーナ・クービッシュらを招きパフォーマンスを行い、訪れた人々との交流を行った。九〇年代に毎年のように来日したユリウスは、欠かさず丹後を訪れていた。私は丹波出身ながら、当時東京拠点でメディアアートに関わっていたこともあり、訪れる機会がないまま年月が過ぎてしまった。そして近年も切実にその機会をうかがいながらも、残念ながらまだ実現に至っていない。

鈴木のパフォーマンスを初めて見たのは二〇〇〇年代半ば過ぎのNTTインターコミュニケーション・センター［ICC］でのもので、音の豊かさや遊びと実験精神に加え、軽やかで強靭な身体性が強く印象に残っている。その後も展示やパフォーマンスを見る機会に恵まれたが、いずれも享受する側が心身を解放し、世界とつながり直す契機を開くものだった。長年知っていながらも、鈴木との真の出会いが始まったのは数年前である。とりわけ二〇一一年以降、鈴木のパートナー、宮北裕美とともに密なコミュニケーションが生まれている。鈴木が長年見通してきた世界と、私が東日本大震災以降、そしてポストパンデミックの時代において見ている世界が共振し始めたからだろう。鈴木の活動が、かつてないほどリアルで生々しい必然として私の前に現れたのだ。鈴木とまさに、出会い直したのである。

自然の叡智をおのずと／自ら学ぶ

昭男少年は、どのように「鈴木昭男」になったのだろうか。十代の頃、中原中也の詩「正午」（一九三七年）を読み、こうなることだけは避けたいと思ったという。昼休みに続々とビルから出てくる人々、それは近代が推進した人間を含む世界のモノ化や管理システムへの服従を意味している。このシステムは、第二次世界大戦時にも実装され、現在に至るまで私たちの社会や心身に大きな影響を及ぼしている。「その頃は草っ原で天を仰いで雲を見ながら何もせずして生きられたらとの願望を抱いていましたから」[※2]。一九四一年平壌生まれの鈴木の願いは、生理的・直感的に発されたぎりぎりの抵抗であっただろう。

高校時代には、ジョン・ケージや、瀧口修造率いる実験工房など、最前線のアートシーンに触れ、作品を制作していた。その後、建築設計室に身を置き、階段図面のトレースを任されたときに〈模範的階段についてのひらめき〉があり、さまざまな階段に内在するリズムを探る個人的実験として、一九六三年に名古屋駅のホームの階段で「階段に物を投げる」を敢行、現在への一歩を踏み出した。この実験から鈴木はその後、「ある観念を抱き集中し〈点〉を超えることでそれまでの想像を超えた体験を感得するという〈Xの交点考〉へと至り、それが《日向ぼっこの空間》に連なる」という。[※3] 名古屋駅では物理的に偶然の音のリズムを聴こうとした鈴木は、その後「音」や「聴取」の修行へと入っていく。それも誰かに師事するのではなく、自然を相手に「投げかけ」と「たどり」（いずれも鈴木による言葉）をくり返し、自ら学び取る自修イベントとして。複雑な地形（陶土採掘場、石切り場、切り通しなど）において声や音を出し、エコーを聞き分けるなどの実験を十年ほど続けたという。[※4]

鈴木昭男《階段にものを投げる》1976年、出典：季刊「デザイン」1976年夏号（美術出版社）

自らの身体を環境内に置くことで、音器としての環境（地形や風による）の偶然かつ非線形的なエコー（圧、リズム、振動、可聴域以外の周波数……）を繊細に感じ受け止める、実験的探求。そこでの自身は受容する共振体であるとともに、能動的な解釈体としての音器でもあるだろう。人為的に構築された音や楽器、演奏者などの概念から解放され、音そのものとのコミュニケーションを試みること。それは音の背後にある森羅万象との生のコンタクトであり、古代から修行者が信じてきたアニミズムの世界にも通じる。

石の笛

鈴木の先祖は、風を鎮める神事を行う笛連（むらじ）として、ヤマト王権下で長く「石の笛」による祀（まつ）りごとをしていたという。「律令の敷かれた頃、石の笛は地中に伏され、江戸期に掘り出された」由来をもつ、と鈴木は語る。[※5] 彼が中学生のとき、父親が一度だけ見せ吹き入れてくれた、先祖から受け継がれた「アマノイワフエ」という名の笛は、海からの自然石でできており、日本海側先住民の神宝として祭祀に使用されたものとされている。[※6]

この笛には、想像を絶するほど長い自然の時間や人々の祈りが込められている。自然の造形に感じられる神性、かたちや触感はもとより、それを音を出す道具として発見し、神事に使用されたこと。息を吹き込み音へと変換する笛は、生命や森羅万象への祈りを音へと転じ神とつながるインターフェイスであっただろう。石の笛との出会いは、鈴木にこのような深淵な世界を受け継ぐ者としての自覚を根づかせたはずである。人為を超えた自然と、音や風、呼吸を介してつながり、そこに自身の生命や人生が包摂される世界に鈴木は参入することになる。

石の笛は彼に、日本ならではの精神性——この列島の独自の自然への畏敬、音への感受性——を教えてくれた。日本列島は、四つの地殻プレートによって生まれ、現在もせめぎ合う非常に特殊な地勢にある。動的な大地のエネルギーは、火山のマグマ由来も含む豊富な石や鉱物を生み出し、豊かな植生とともに石のアニミスティックな文化をはぐくんできた。多孔な石の笛はまた、成り立ちは異なるものの洞窟を連想させる。いずれも自然が生み出した複雑な形状の空間で、出入りする空気に応じて複雑なエコーを生み出していく一種の音響装置といえるのだ。

《アナラポス》の発明

特殊な地形を見出し、鈴木が約十年にわたり行った「自修イベント」も音響装置の実験である。笛と異なるのは、自らその内部に入り、音を出し、そのエコーを聴くことと、周囲の環境音も含めた世界との関係をもつことであるだろう。自修イベントは、自らをその内部に置いた開放的な音響装置《日向ぼっこの空間》へとつながっていく。そして石の笛に通じる現代の音器として、鈴木はエコー音器《アナラポス》を生み出すに至る。自修イベントが終わりを迎えた一九七〇年前後のことである。偶然的に生み出されたという《アナラポス》は、直径十二センチメートルの二つの鉄缶を鋼鉄のスプリングで結んだ糸電話のような形態で、二〇世紀特有のジャンクをブリコラージュしたものである。[※7]音が振動しエコーを生み出し、素材からは想像し得ない芳醇なアコースティックが生み出される。発明当時は、「かつて自然の中で聞いたさまざまなエコーを追体験できるような、そんな楽しい遊びの時間をもつことができた」[※8]という。鈴木はこの音器を駆使したパフォーマンスを開始するが、それは始まりも終わりもない自然の音との個人的な交歓から、とある時間や空間の枠で観客を前提にしたイベントになってしまうことを意味する。

《アナラポス》を個人の表現から解放する術を模索する鈴木は、自然の中に設置することで、その音器が風の状況に応じて変わった音色を奏でることを発見する。鈴木はここで、人間以外が演奏するという、彼が行った十年にわたる自修の時代の地平へ自作音器を携えて回帰した。自修イベントと《アナラポス》が異なるのは、前者が地形からエコーを生み出すのに対し、後者が開けた土地に置かれることで、風の受容体としてエコーを生み出すことだろう。《アナラポス》という名は、「アナログ+ポスト」の造語で、デジタルに対しアナログを大切にするためと説明されている（一九七九年以降）。しかし実際は、一九七三年に結婚したアーティストNanae Suzuki（小島七恵）が使った言葉に由来する。新婚当初腹痛に見舞われた鈴木は、彼女から「オナラプスさん」と呼ばれ、その名を無名のエコー音器につけようとしたが、

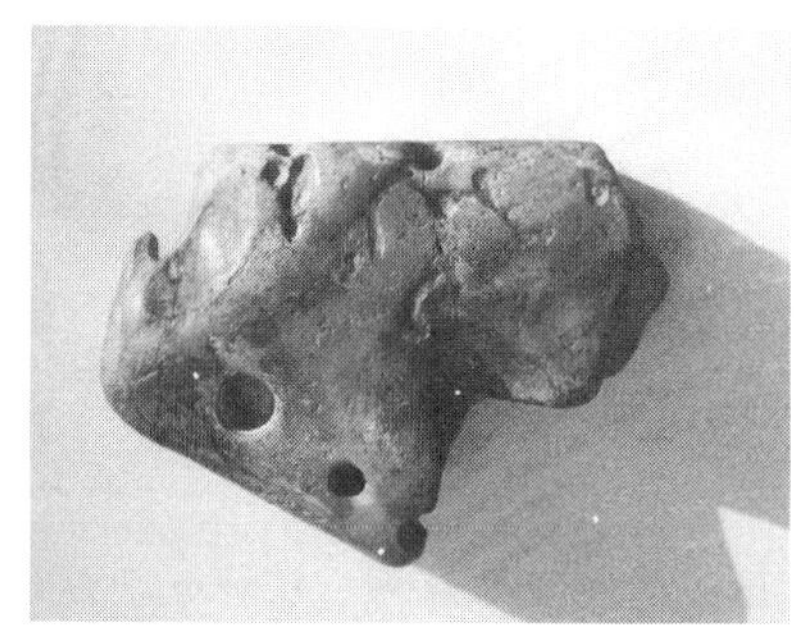
鈴木昭男《石笛》1994年、「stone」展、DAAD Artists-in-Berlin Program、出典：同展カタログ

鈴木昭男による吉見百穴での自修イベント、1976年
撮影：鈴木昭男

「オナラプス」ではかわいそうと、とっさに「アナラポス」を思いついたという。微笑ましいエピソードだが、あながち的外れといえない。身体を有機的な管音器とみなすなら、おならは身体からの空気の出力で音をもつ。[※9]

日向ぼっこの空間

「『耳を傾ける日』をあらかじめ一九八八年の秋分の日と決めておいて、それに向かって一年半にわたる大変な作業を自分に課すことで、精神を集中させていきたかったということでしょうね」[※10]。《日向ぼっこの空間》（口絵P6参照）は、一九八八年の秋分の日に子午線上の京都府網野町で鈴木が日中自然の音に耳をすましたイベントであり、そのための空間である。同時に十五年間にわたる心の準備や一年半の現場作業、そして二〇一七年に取り壊されて無くなるまでの全体も意味している（いや無くなった後も《日向ぼっこの空間》は、跡地として、そして関わった人々の記憶に留まり続けている）。

本プロジェクトは、美術史、人類史、そして地球史において、比類のないものではないだろうか。《アナラポス》の直後に構想され、自身や和田淳子、有志の何人かと手作りで一年半もの間、山土をシャベルで削り、日干しブロック（約一万個）を作り、二つの壁間の七×三・

五×十七立方メートルの空間として創りあげる気の遠くなるほどの作業。鈴木の夢のような構想に賛同する人々に励まされつつ、修行のような日々を経てやり遂げたこと。それだけではない。《日向ぼっこの空間》には、芸術もしくは社会的な行為として、などという言い訳がない。自然を聴くこと、という純粋な動機は、社会が掲げる価値観とは程遠い。むしろそこからいさぎよく隔たっていることで、自由な精神とエネルギーが人々に届けられる。アーティストやシャーマンは、自然の叡智と接続する存在だが、人々は《日向ぼっこの空間》に、個人のエゴを超えた、未知の可能性そして魅力を感じたのだろう。鈴木の人となりが、それを雄弁に語ったはずである。

とはいえ鈴木はそのことを当時、自覚していたわけではない。《日向ぼっこの空間》の構想は、ドビュッシーの「海」に触発されたものだという。「ドビュッシーの〈一日の自然観察〉の楽想だと、〈結果として勘違いでしたが〉そのことの追体験をするべきと確信をしたのです[※11]」。何らかの理由で強い確信を得、それが原動力となって実現に至る。発想や進む道が自然の理にかなえば、誤解であっても早すぎても、まっとうされる必要があるだろう。バブル経済最盛期の日本やそれに乗っていた美術業界とは一線を画し、鈴木は自身そして自然にかなった歩みを続けていった。自然の曲線の中に実現された《日向ぼっこの空間》の構造は、ミニマルで直線的である。しかし手作りの日干しブロックの風合いが、それを和らげている。[※12]

自然からお借りしてまた戻す、という世界観である。そしてこの構造物は何よりも、風や音など不可視の振動や反響を、自然の中に差し込む音響装置である。太陽熱の対流で生み出され、地球上をめぐる風。周囲にある木々など自然の事物が、風を受けて複雑なエコーを生み出し、子午線上で南北に向かい合う壁により反響し放たれる。

「ここで響かせた音は、ふたつの壁の間を反響しながら外に出て、理論的には地球を一周してめぐってくるわけですね。つまりその反対に、子午線上のすべての音は、ある意味でこの壁の間に響き合っているのではないか、と――まあ、そう夢見たわけです」[※13]

鈴木の想像は、まさにプラネタリーな遊び心に満ちている。鈴木が何よりも夢中になることで、人々にその楽しさが伝播していく。人々の想像力や創造性を引き出していくこと。それこそアートがもつ本来の可能性なのではないか。そして迎えた一九八八年九月二十三日。《日向ぼっこの空間》での体験を聞かれた鈴木は、「本当に禅問答みたいになってしまうんですが、実は何も聞かなかったみたいな、不思議なことになってしまったんですよ」[※14]と述べている。拍子抜けしたかのような結果に見えるが、それこそに意味がある。「無為の壁」（鈴木）、それはさまざまな意味や期待の土台から人々を解放したことだろう。

鈴木昭男《アナラポス》パフォーマンス、1982年、スペース桐里
撮影：木之下晃

鈴木昭男《点音》1996年、ベルリン
Courtesy of the artist

身体が世界となり、世界が身体となる

一九九六年には屋外でのエコーポイントを探る《点音(おとだて)》が生まれる。耳が足の中に入れ子になったマークの円形のポイントを屋外に点在させた作品は、その上に立ち、自身を空っぽにして周囲の音に耳をすます体験へと人々を誘う。鈴木がかつて行った自修イベントを、広く人々に開くかのように。自分を空っぽにする、無為という点で、《日向ぼっこの空間》や自修イベントと同様であるだろう。世界は常に変化し、可視／不可視、可聴／不可聴、物質／非物質の間を往還している。自身が空っぽの「耳」となること、先入観を離れ無為の境地から吸収すること。かつてソクラテスは、自分が無知であることを知ることによって、人々に問いを投げかけ続けたが、鈴木はそれを自然に行っている。その中で、自然そして人々を彼の世界のただ中へと巻き込んできた。常にさまざまなものや人に耳を傾け、それらの一部と相互憑依してしまうかのように。

それは石の笛との関係でも起きている。由緒ある「アマノイワフエ」を、大切にパフォーマンスで使ってきた鈴木だが、二〇〇五年パリからアムステルダムのスキポール空港への列車内で失くしてしまう。このときのショックは、想像に余りある。自らの身を削がれたよう

な喪失感だっただろう。しかし鈴木はその後、石の笛を呼び寄せていく。駅前のある喫茶店で、丹後のとある女性（俳人）が、函石（弥生時代遺跡）の浜で拾って二年間、ハンドバッグに入れていた孔のある石をくれたという。コロナ禍になる直前、ニュージーランドのオークランドでは、洞窟での鈴木のコンサートを訪れた音楽家のフィル・ダドソンが、浜でそっくりな石を拾ったと、多くの孔をもつ石をくれたという。かけがえのない石笛を失くしたものの、同じような石笛が二つ鈴木のもとに届いたのだ。

石の笛がめぐってくるという因縁……石の笛が代わる代わる鈴木にエネルギーを与えてくれる。石の笛が鈴木に何かを伝えようとしている。それを社会にエコーとして響かせることが、現代に生きる鈴木のミッションなのだろう。日本ならではの、自然に根ざした音を聞くこと。石と耳、風、気流。摩擦（形態と流れ）、振動としての音……。石や土、土地、そして山や空をつないで、耳を澄ましていくこと。子どもの頃の、野原や麦束に寝そべって空を感じた原体験が、そして石の笛とのただならぬつながりが、鈴木の中で連綿と息づいている。[※15]「物には個々に固有の振動が備わっている」（鈴木）[※16]。ミクロやマクロのスケールで、世界は常に動き、振動している。自然の中でも都市の中でも、生き物そして物質や非物質においても。それが音となり耳を通して内部へと浸透し、振動する。耳を通して身体と世界がつながること、そこでは身体が世界となり、世界が身体となる。

常に観測者に結びついた、ただひとつの認識が存在するだけなのだ。ある系か、その近傍にどっぷり漬かった観測者。しかも、この観測者は、自分が観測するものと全く同じ構造をしているのである。——ミッシェル・セール[※17]

「日向ぼっこの空間」から得たことは、［中略］身辺に、巷に、自然に、地球に、宇宙へと魂を共振させることの重要さ、「みちくさ」へと、ぼくを解き放ってくれている。これは、いつかいこっきりじゃなくて。——鈴木昭男[※18]

鈴木は、自ら自然、地球の本源と共振する稀有なメディアとして、私たちに振動を送り続けてやまない。

※1　ドイツ学術交流会（Deutscher Akademischer Austauschdienst）。
※2　二〇二二年三月三日付筆者宛メールより。
※3　同右。

※4　「音楽人探訪　第九回鈴木昭男」インタビュアー：武田明倫、『ポリフォーン』Vol.10、一九九二年。
※5　鈴木昭男「石の笛考」、私家版、二〇二一年。
※6　浦江由美子「ベルリンで日本の古代を奏でるアマノイワフエ」、『和楽』二〇〇二年五月号。
※7　一九七八年に音響設計をし直し、以後直径十センチメートルのものを使用。
※8　※4に同じ。
※9　二〇二二年三月四日付筆者宛メールより。
※10　※4に同じ。
※11　※2に同じ。
※12　丹後特有の鉄分を含む丹色の山土を生かし、いずれは自然に戻るようにと焼かず日干しにした。
※13　※4に同じ。
※14　※4に同じ。
※15　※2に同じ。
※16　※2に同じ。
※17　ミッシェル・セール『分布〈ヘルメスⅣ〉』豊田彰訳、法政大学出版局、一九七七年。
※18　鈴木昭男「いっかいこっきりの日向ぼっこの空間」、CD-book『いっかいこっきりの日向ぼっこの空間』Art into Life、二〇二三年。

南イタリアのエナジー

二〇二二年夏、七月十五日から三週間、南イタリアに滞在した。連日とても暑く、朝七時を過ぎると日差しが強まり、日中は危険を感じるほど。それでも夜は涼しくて、山の方では寒いほどだった。私の右手首には、繊細な赤糸で編まれたミサンガが日焼けした肌に馴染んでいる。南イタリアの夏の名残り。パソコンのすぐ横では、手の平にすっぽり収まる光沢の美しい黒曜石が、私にエナジーをくれている（ように感じる）。旅の最後の自由行動で、ナポリのすぐ西にあるポッツォーリの遺跡を訪れたとき、一期一会を感じて購入したもので、近くのアヴェルノ湖で採れたという。「フレグレイ平野」と呼ばれるこの一帯は、火砕丘を擁する十三キロメートルもの長さの巨大カルデラで、ポッツォーリをはじめいくつかの街はその中にあり、今後大噴火もありうるという。黒曜石は、私の大好きな石。日本では、「対話と創造の森」（長野県茅野市）で関わっている諏訪から良質の黒曜石が産出されるが、縄文中期には遠方まで流通していたという。流紋岩質のマグマが噴出時に急激に冷やされてできるガラス質のシャープな石は、エナジーの塊だと思う。

イタリア地方都市の創発性とその背景

南イタリアでもとりわけ今回訪れたいくつかの小さな街は、「日本の」尺度はもとより、「グローバルな」標準化も及びきらない地域であり、古代から連綿と営まれてきたその地ならではの人々の暮らしや文化が息づいている。それはprecious（なぜか英語に！）としか言いようがない。人間中心的なシステムよりも、人間の本能や情動、人間を超えた自然の流動性に寄り添う世界観が浸透している、と思うのは私だけだろうか。今回、異なる地域のさまざまな人々に出会った。それぞれの表情から、彼らの人生が地域の自然や歴史、文化と深くつながっているように感じ、エナジーをいっぱいいただいた。しかしそれは実は、各地域が厳しい自然や度々起きる災害と向き合う中で培われたものでもある。訪れた街の多くが、過去に地震や噴火、濁流などの大災害を経験している。そして現在も各地域は、環境、経済をはじめいくつもの問題を抱えている。しかしそれでも（だからこそ）、私から見ると「愛」や「つながり」を拠り所にした生の（そして生への）エナジーが絶えないのだろう。

今回訪れた場所は、ナポリから少し北まで含まれ、西のティレニア海、東のアドリア海に挟まれたカンパニア州、アブルッツォ州、モリーゼ州、プーリア州にあり、南北でいえばブーツ型の半島の向こう脛とふくらはぎの、それぞれ中ほどにある。南イタリアの中では北部に位置し、ナポリとその周辺以外に世界的な観光地はなく、それぞれの土地に根ざした農業や牧畜業、漁業などが営まれる「ルーラル（「田舎」という言葉に訳しきれないニュアンスがある）」な地域である。地勢的にはアルプス山脈の延長が貫いており、また前述したフレグレイ平野を含め、ナポリの南のヴェスビオ火山や西の島々（イスキア島、今回訪れたプロチダ島など）も含め、東西に火山が連なっている。また地理的には、アドリア海を挟んで西にアルバニアやギリシャ、その向こうはトルコがある。ティレニア海は、北西のサルディーニャ島のすぐ北がコルシカ島（フランス）で、フランスやスペインに近い。ブーツのつま先の先にはシチリア島があり、そのすぐ向こうはアフリカである。日本と同じく南北に長いイタリアだが、海岸沿いや山や丘の上、平地、洞窟など、地形に応じて古代や中世より形成された個性的な街や村（「コムーネ」と呼ばれる基礎自治体）が多い。訪れた地域も（海上で言えば「群島」のように）それぞれ自律性をもつ街が島のように連なる様態が見えてくる。そのような半島全体が、「イタリア」として統一されたのは一八六一年、日本で言えば江戸時代末期のことでしかない。

今回訪れた地域には、古来からの文化圏として、ローマとギリシャを結ぶアッピア街道を含めヨーロッパとギリシャをつなぐ大動脈があり、またサムナイト人をはじめ、古代より多様な人々が暮らしてきた。そのような歴史に触れられるのが、街々にある考古学博物館で（その多くが高台の城の中にあった）、ギリシャ神話の物語が緻密に描かれたギリシャのワイン壺をはじめ、数々の食器や道具に装飾具、それ以前の石器時代の品々を見ると、人と技術、文化の絡まり合いが生き生きと想像されてくる。

山々は岩がちで、岩の上に造られた街も多い。地震や噴火が頻発してきたため、噴火による堆積物が広大な地域を覆い、粘土質の地層を形成している。そしてこの土壌から、良質のワインやオリーブ、小麦が産出される。街が全滅したり（有名な事例ではポンペイ）、近隣に新たに造られたことも多く、今回訪れたいくつもの街がそのような経緯をたどっていた。街には日常的に大災害の可能性と痕跡、そして背中合わせに豊穣さが存在し、人々はときに生命の危険にさらされながらも、大地の恵みを享受してきた。自然は人間によってコントロールできない。そのような自然に寄り添って生きることが、この地の人々の世界観を形成してきた。人々は、厳しい自然の中で、ときには水や食料、資源を分け合いながら生きてきた。イタリア統一（一八六一年）後も、中心部から離れた南イタリアではそのような世界観が濃く残り、政府への抗議運動も活発で、災害や貧しさから、新大陸に移住した者も多かったという。

南イタリアとのつながり

今回の南イタリア行きは、南イタリアの各地で二〇〇三年よりサウンド&メディアアートに食も含む小規模なフェスティバル「Interferenze（インテルフェレンツェ）」を開催してきたインディペンデントの組織Liminaria（リミナリア）と、青森の国際芸術センター青森（ACAC）が、二〇二一年から始めた共同プロジェクト「EIR（エナジー・イン・ルーラル）」の枠内のもので、私は滞在キュレーターとして四つの街でリサーチとトークを行った。EIRは、日本とイタリアのアーティストが互いの国に滞在し、地域における「エナジー」をテーマにリサーチし、作品を制作、発表するもので、二〇二一年はコロナ禍のためオンラインのみで展開された。二〇二二年は日本からアーティスト（三原聡一郎）とキュレーターの私が派遣され、二〇二三年はイタリアから日本へ派遣（ニコラ・ディ・クローチェ、レアンドロ・ピサロ）される。今回は、四つの街での滞在に加えて、「インテルフェレンツェ・フェスティバル」やイタリア文化都市「Procida2022」（プロチダ島）への参加も加わった。

リミナリアの設立者は、レアンドロ・ピサノ。彼はナポリから車で北東に約二時間の風光明媚な渓谷に広がるサン・マルティーノ・ヴァッレ・カウディーナ（以下、サン・マルティーノvC）というカンパニア州の街（今年のインテルフェレンツェ・フェスティバル開催地）を拠点に、二〇〇三年より南イタリア各地でこのフェスティバルを実施してきた。加えて数年前からリミナリア名義でアーティスト滞在プログラムを本格化し、近年はイタリア内のアーティスト滞在組織のネットワークを設立し牽引している。

私がレアンドロに初めて会ったのは二〇〇九年末、デジタルアーカイブの会議で訪れたナポリでのことだった。彼のビジョンと活動の重要性を感じ、二〇一〇年に彼が来日した際は、インテルフェレンツェの東京版として小規模フェス「Interferenze Seeds Tokyo（IST）2010」[※1]を企画し、トークに出演してもらった。またその年の夏に私はビサッチャ（カンパニア州）で開催されたインテルフェレンツェ・プロジェクトに招聘され、二〇一八年にもシチリア島でのリミナリア・プログラムに招聘参加した。さらに私が二〇二〇年に、ポストパンデミックの状況下でオンラインでのフェスの可能性を探索する「Micro Media Festival Seeds（MMFS）2020」[※2]を実施した際に、レアンドロとＩＳＴ２０１０の出演者に参加してもらうなど交流が続いていた。二〇二〇年秋、コロナ禍でアーティスト滞在プログラムのあり方が世界中で模索される中で、ＡＣＡＣとリミナリアのそれぞれの特徴を生かしながらのコラボレーションができないかと思いたち、両者の間を取りもった。公立であるＡＣＡＣと、インディペンデントのリミナリアという組織の違いがありながら、「ルーラル」へのまなざしや過去の活動の方向性からこれまでにない創発が起きるのではと感じたからである。それが実現し、レアンドロとACAC学芸員の村上綾、私との対話の中から生まれたのがEIRである。

EIR（エナジー・イン・ルーラル）の実践

EIRでは、青森そして南イタリアそれぞれの地域的な特性と、「ルーラル」における課題を見すえつつ、アート&テクノロジーに関わるアーティストが双方の地域に滞在することで開かれる可能性に「エナジー」という側面から切り込んでいく。

「エナジー」というテーマを具体的に提起してくれたのはレアンドロで、今世紀以降南イタリアのいくつかの地域に設置されたおびただしい数の風力発電機が、起点のひとつとなっている。風力発電は、再生可能エネルギーとして当初歓迎されたが、現在は発電機を設置することで損なわれる景観だけでなく、環境への影響が日本でも問題になっている。現地でも何人かに話を聞いたが、いくつかの問題が複雑に絡んでいるようだ。たとえば、風力発電を推進する政治・経済の構造。イタリア政府は外国の企業に半額の補助金を出して誘致するが、現地に入る収入は微々たるものであるという。そこにマフィアが絡んでもいるという。得られた電力は別の都市に送られ、地元はその発電所から電気を買っている。グローバル経済が入り込み、格差が広がるばかりで、地域にとってのメリットはないに等しい。誰のための発電機設置で、誰のための電力なのか？　実際、ローマ空港からイタリア半島を東へとバスで横切り、アドリア海沿いのペスカーラ（アブルッツォ州）へ向かう途中の山並みには、風力発電機が林立していた。翌日車で移動したカンパニア州のアクイローニアへの道中にも、アクイローニアにも風力発電機があった。また、そこから近郊の古い街モンテヴェルデに行く途中にも風力発電機が……正直、言葉を失った。

収穫直後の小麦畑の向こうに見える風力発電機（プーリア州を抜けカンパニア州アクイローニアへの路上より）　筆者撮影

もちろんＥＩＲでの「エナジー」は、電力だけを扱うのではない。太陽光や風、土、水などの自然のエナジー、大地のエナジー（地殻変動など）、大地が育む動植物、そして人間のエナジーを含んでいる。加えて人間による創造物やさまざまな自然物、可視的・物質的なものだけでなく不可視的・非物質的なもの、そしてアートのように人々に多様な解釈を喚起したり、想像や創造のエナジーを生み出すものも含まれている。

近代以降、地球のあらゆるものは、人間によって資源として消費されてきた。その背景には人間中心の経済的価値観がある。それは、西欧の近代を基盤とした価値観であり、とりわけ一九世紀のグローバリゼーション以来、世界中でその標準化が進められてきた。地方は後進的であるとされ、二〇世紀後半以降、中央と地方の格差は以前にも増して広がった。そこでは地方が中央に依存するという図式は揺るがず、むしろ強化されてきた。

古来から豊かな自然や歴史、文化を培ってきた地方の小さな街々が、自律的にその地域ならではの作物や製品、そして文化を生産し発信し続けること。そのために、現代の科学・技術を批評的に活用できるサウンドアーティストやメディアアーティストが滞在することで、地域に潜在する可能性を引き出し、人々の対話に開くこと。インテルフェレンツェというフェスティバルとリミナリアというアーティスト滞在プログラムでは、インターネットが普及した時代において、「ルーラル」に根ざした実践を続けてきた。このことは、アートを通した、環境・社会・政治的側面からの創造的抵抗／抵抗的創造でもあるだろう。アーティストたちが、人新世の時代の課題に対するいち早いセンサーとして、ＥＩＲではルーラルにおいて理論と実践をくり返している。ＥＩＲの実践は、地域の地勢、歴史、社会、環境、経済的背景へと切り込む側面と、人々との対話を開く側面をもつ。

ルーラル×アートのポテンシャル

イタリアでは、現在各地で「アグリツーリズム」が推進されているが、遡れば一九八六年にはスロー・フード運動が始まり（北イタリアのピエモンテ州）、ほぼ同時代に「テリトーリオ」という概念のもと、昔から受け継がれてきた地域の食や伝統文化、街並みを保存し活用していく動きが、グローバル化に抗う実践として展開されてきた。バルバラ・スタニーシャ[※3]によれば、テリトーリオは、土地や土壌、景観、歴史、文化、伝統、地域共同体、等々のさまざまな側面を併せもつものと定義される。[※4]

一九六〇年代は、北イタリアではボローニャの自由ラジオなどに代表されるインディペンデントメディアの活動があり、ナポリなど南イタリアにおいても、アーティストによるボトムアップの活動が活発に展開されたという。イタリア統一までは街々が自律的に存在し、そこでは地域に根ざした人々の生活があった。それを保ち、あるいは一度失いながらも再生に取り組んで来たからこそ、現在、イタリアは世界でも類を見ない豊かな地域文化を誇る国になったといえるだろう。

この小さな街に来て感じたことは、中央と地方に対する価値観の変化である。特にポストパンデミックの時代に入り、ルーラルな地域は各自の意思で生活と仕事を選び取る〝可能性の場〟となった。移住者が増え、地元に戻った若者も多い。そして地域からの発信や地域内の交流に向けた試みが、アーティスト滞在やフェスティバル、子ども向けのプログラムなどとして開始されている。実感したのは、地域の問題を掘り下げると経済や環境の問題に突き当たり、結果的にグローバルな問題につながってくることである。そのような時代において、「ルーラリティ(ルーラルならではの特質)」に取り組むことで、新たな地域そしてアートの可能性が現れつつある。

三原聡一郎における空気

今回の滞在では、まずアドリア海に面したペスカーラから山に約三十分入ったアーティスト滞在施設「ポリナリア」で一泊、そこから西南に車で四時間の内陸の丘の上の街アクイローニアで八泊し、その後、北西のナポリ方面へ二時間ほどのところにある二つの国立公園に挟まれた谷の街サン・マルティーノvCに一週間滞在(インテルフェレンツェフェスティバル出演)、さらにそこから約二時間行きナポリから船で四十分のプロチダ島で一泊(イタリア文化都市「Procida2022」出演)して、最後に、個人的にナポリに二泊した。

ポリナリアには、私が行く十日前から三原聡一郎が滞在していた。七月十五日から八月一日まで一緒に移動しながら各地でリサーチを行い、彼はインスタレーションとパフォーマンス、トークに出演し、私はトークやフォーラム出演をこなした。各地での出会いも多く、土地や人々の重みを実感する日々だった。三原は独自の世界観をもち、リサーチと実験から多様な作品を発表するアーティストである。二〇一一年三月十一日以降、「空白のプロジェクト」という名の下に活動を展開してきた。そして十年間展開してきた活動プロジェクトを俯瞰すると、いずれも空気に関わるものであることに気づいたという。今回彼が各地で展開したのは、インスタレーション《空気の研究》（二〇一七年）と新作パフォーマンス《今日の空気》[※5]であった。

《空気の研究》は、風をリアルタイムで可視化するもので、屋外に設置した複数のマイクからの低周波を、屋内の（マイクと同じ位置に並んだ）ファンから風として出力する。移ろう風の中で、極薄のビニールの帯状の円環が、あたかも舞うように繊細に変容し続ける。観客は外から鑑賞するだけでなく、そのインスタレーション作品の内部に入って自ら帯の動きと戯れ、同時に自らの身体や動きが風の流れや帯の動きに影響することになる。各地では、幅広い年代の人々が、作品と自由に戯れていた。《今日の空気》は、各滞在地で採集した複数の植物を自作のグラインダーで挽き（ソーラーパネルで稼働）、下から蜜蝋の炎で焙煎して立ち上る香りを観客にも共有するとともに、その空気を透明ビニールのパックに密封するパフォーマンスであった。現地で育った植物の成分が香りへと変換され、空気として拡散していく……。冒頭の説明をイタリア語で行いながら、三原は毎回観客を引き込み魅了していった。これら二作品を四カ所で展開したが、インスタレーションは各地の空間によって異なる印象を帯び、パフォーマンスは各地の素材にちなんだ芳香を空間に放ち、いずれもとてもいい反響を得た。三原は各地で、小麦の収穫、ビールのホップ畑や醸造場の見学、ワイナリーの訪問やぶどう畑での作業などを手伝い、人々と大地との関わりを身体で感じたり、地元のワインや食をリサーチするなど地域に溶け込んだ活動を行った。

「ポリナリア」からアクイローニアへ

私が南イタリアに到着した直後、七月十五日の夕刻に開催されたEIRキックオフ・フォーラムは、アドリア海とこの地域を代表する山グランサッソのちょうど間、良質のオリーブオイルとワインの生産者ガエタノが主宰するアーティスト滞在施設「ポリナリア」の屋外が会場となった。自然の中に、キューブ状の藁でできたシンプルでいい香りの舞台と観客用の椅子がしつらえられ、遠方からの関係者、地元の生産者やアーティスト、子供たちや犬も一緒

三原聡一郎 インスタレーション《空気の研究》2022年7月28日、UNICEFの部屋（元ECA）、Interferenzeフェスティバル、カンパニア州サン・マルティーノ・ヴァッレ・カウディーナ　筆者撮影

民族誌博物館（MEdA）、カンパニア州アクイローニア　筆者撮影

にゆるやかにトークが始まった。出演は、ガエタノ、レアンドロ・ピサノ、三原、私、そして地域のアートプロデューサー、分子生物学者、文化経済学者という多彩な面々。アートとDNAや心身の関係などの話題で後半かなり盛り上がったようだが（英語からイタリア語への通訳がなく、翌日聞いた）、私たち日本人二人はＥＩＲや地域アートについて英語で述べるにとどまった。しかし素晴らしい自然の中で、夕暮れから夜の時間を共有するというかけがえのない体験となった。

翌日、アクイローニアへはなだらかな丘々を越え延々と内陸を走る。すると何もなさそうな風景の中、突然整然とした街が現れた……！　九日間滞在したこの街では、民族誌博物館（ＭＥｄＡ）がホストとなり、ホテルに滞在、三原の展示とパフォーマンスは博物館で最終日に披露、滞在中は近隣の街などへの訪問も活発に行った。この博物館には、約百年前にこの地域で使われていた生活や生業の道具が集められ展示されている。そんな博物館を発案したのは教師のベニアミーノ・タルタッリア（一九三四－二〇〇六年）で、彼の熱意に賛同した地元の人々が、ボトムアップで地域の家々に声がけをし、眠っていた道具をもらい受けて収集、空いていた建物を改造して一九九六年に開館した。ワイン醸造、オリーブオイル圧搾、小麦の収穫、靴の製造……いずれも手作りで、人々の汗や思いが染み込んでいる。ここ百年ほどで、いかに生活が変わってしまったかを実感する。それはこの地だけではなく、日本を含め世界中で起きた変化でもあるのだけれど。館長は現在、建築家のエンゾ・テノーレが務めている。アートを通した地域の活性化を担うという革新的なビジョンをもち、街に最近できた彼の設計による「文化の家」に加え、アーティストの滞在施設も建設中で、アクイローニアは着実にに変わりつつある。それは人々による人々のための博物館を実現したこの街の自律精神に基づいている。

自然災害と街

アクイローニアの自律精神は、この街が一九三〇年の大地震を機に造られた街であることにも由来する。博物館に下る坂道から見える小さな山、実はそこにこの街の人々が以前住んでいた街カルボナーラがあったのだが、地震により壊滅した。そのため人々は、近隣のなだらかな丘を新たな街として、古代からの地名アクイローニアと名付けて移住したのだ。アクイローニアは、当時のムッソリーニの都市計画（耐震設計も）に沿って設計され、直線的な構造をもっている。カルボナーラの遺構（カルボナーラ考古学公園）を訪れたが、そこは、ローマとアドリア海に面したバーリを結ぶアッピア街道の中間地点で交通の要衝だったとされる。この地震による破壊や喪失が、タルタッリアが博物館を構想する動機にもなったという。

アクイローニアでEIR関係のトークと三原のパフォーマンス、およびインスタレーションを行って最後の夕べを過ごした七月二十三日は、奇しくも、地震から九十二周年の日だった。ちなみに先述した赤いミサンガは、この日出会った女性がつけてくれた手作りの品である。先にも触れたけれど、今回の南イタリアでは、地震や火山の噴火による災害を受けて移転した街や復興した街が多いことを実感した。アクイローニアから約一時間のビサッチャは、一九八一年の地震で人々が転居し、新ビサッチャが建設されたという。城や家並みが美しい旧ビサッチャは、居住者はほとんどいないものの、夜は人々で賑わっていた。

アクイローニアの次に一週間滞在したサン・マルティーノvCは、山の中腹からなだらかに傾斜する土地の渓流に沿って形成された古い街で、滞在先は古城を見下ろす山裾の高台にあった。そこからすぐの山は、山崩れの跡が生々しい。今世紀になって二回崩落し、死者も出たという。また近年も川の氾濫による被害が出ている。この街は、中心にある広場の下に渓流(!)があり、暗渠化されていたが、災害後に一部がオープンに戻されている。その後訪れたプロチダは、火山によって生まれた島で、名前もそれにちなんでいるという。そしてこの項の最初に紹介したポッツォーリは、まさにカルデラの中にある! 日本でも自然災害(地震、津波……)が多いけれど、街ごとの移住は聞いたことがない。大きな被害が出ても、そこに再建するからだろう。イタリアでは家が石造で、日本は近代まで木造が多かったのも理由のひとつだろうか。日本もイタリアも、自然災害が多く、同時に自然の恩恵を享受している。自然に寄り添いながらも死を忘れず、そのために生を享受しようとする姿勢では共通するように思う。

「本質的な動き」を感知する

インテルフェレンツェ・フェスティバルを主宰するレアンドロは、サン・マルティーノv Cに住んでいる。二〇〇三年の最初のフェスティバルは、後年に濁流被害を起こした広場の奥にある水車小屋でのライブで、そこはこの街の核となる場所だという。二〇二二年七月二十八日から三十日まで開催されたインテルフェレンツェ・フェスティバルのテーマは、ラテン語で「Substantiae Motus（本質的な動き）」。街の複数の会場で作品展示やトーク、上映、ワークショップが行われ、広場では毎晩ライブが開催され多くの人々で賑わった。トークや上映のほとんどは、屋外にある古い屋敷の美しい庭園などを会場にして夕方から夜にかけて開催された。また三原を含めてアーティストが四組滞在し、作品を披露した。参加アーティストやパネリストは、EIR枠の三原と私以外はイタリア国内やヨーロッパからだった。私はEIRについてのトークに加え、アーティスト滞在施設のヨーロッパ内ネットワークの構築や、ルーラルな地域における自然とテクノロジーの新たな活用の可能性をテーマとする「ELECTRONIC ART RURAL FORUM」に登壇した。

今回のプロジェクトで興味深かったのが、滞在アーティストのアンドレア・カレット&ラファエラ・スパニャの「体験としての土」[※6]である。彼らは土にまつわる五日間のワークショップを展開し、最後にパフォーマンスを行った。ワークショップでは、炎天下の中、近隣の山や川などの探索や土の採集を行い、粘土質の土を採集、その土は、ヴェスビオ火山の噴火で降った火山灰が堆積したもので、それを使って彼らは造形物を作るという。

二人のパフォーマンスの場所は、街はずれの道から少し入った何の変哲もない空き地で、縦数十センチメートル×横一メートル、深さ一メートルほどの穴が空いていた。その穴の近くに、異なる種類の石、そしてプラスチックやガラス片が帯状に並べられている。一千個は下らないだろう。すべて穴から掘り出されたものだという。深い層から浅い層へ、時系列に沿って並べられ、手前に来るにしたがって近年のものとなっている。彼らは、先日採集した土で作った有機的なフォルムのオブジェ数個を次々と穴に入れ、掘った土で埋める作業を開始、しばらくすると穴は埋まり、目立たないように表面がならされた。誰もここに埋まっているものに気づかないように。火山に由来する土で造った新たな「遺跡」(いずれ見つかった場合)の密かな誕生である。

サン・マルティーノ・ヴァッレ・カウディーナの広場。下を渓流が、向こうの山には土砂崩れの傷跡が斜めに走る　筆者撮影

アンドレア・カレット＆ラファエラ・スパニャ パフォーマンス《体験としての土》2022年9月、インテルフェレンツェフェスティバル
撮影：Photo:Daniela Allocca / Liminaria

三原聡一郎 パフォーマンス《L'aria del giorno（今日の空気）》イタリア文化都市「Procida2022」、カンパニア州プロチダ島テッラ・ムラータ地区
撮影：Leandro Pisano/Liminaria

火山噴火で堆積した土と、ここ数十年で堆積した地層中のものたち（人為的なもの、リサイクル不可のものも）を可視化して交換する。思うに、これほどのものが埋まっていたという事実は、その一帯を見る目を大きく変えてしまうだろう。そしてその事実は、世界各地に同様の（もしくはそれ以上の）多くのものが埋まっている場所がありうることを私たちに示唆する。

自らが暮らす大地に眠るものを想像すること、そして受動的かつ寡黙な大地に語らせること。見えないもの、見えなくされているもの、しかし確実に埋まっていて存在するものを実際に掘り起こして可視化し、人々に問いかけること。アートは「本質的な動き」を感知する領域横断的な場であることを、カレットとスパニャは身をもって示した。

風、波、海……そしてアート

七月三十一日にプロチダ島に渡り、その日の夕刻「Procida2022」（イタリア文化都市）の「Liminaria」枠内で、今回の滞在を締めくくる三原聡一郎のパフォーマンス《今日の空気》が開催された（口絵P6・P275参照）。会場は海辺に連なる、この島名物のパステルカラーの家々が見えるベストスポットである。三原は、島で有名なレモンや野生ルッコラなどの植物を焙煎し、香りとともにこの島の空気を共有し、透明パックに閉じ込めた。島々を渡る風を感じる開放的な環境が素晴らしく、四回見たパフォーマンスの中でも忘れ難いものとなった。

翌日の八月一日には、元カトリック教会の会場で、インスタレーション《空気の研究》が披露された。屋外にマイクを設置、リアルタイムで取得した低周波を屋内のファンから風として放ち、空中で踊るように浮遊する繊細なビニールの輪……。今回を含め四カ所で、異なる風や空間を反映してきた作品だが、ここでの体験は戦慄を覚えるほどのものだった。大きな教会の内部には、祭壇と人々が座るエリアの間に空間がありその中心のちょうど上がこの教会のドームの中央となっている(このような空間をもつの教会は初めて見た!)、作品はその中央に設置された。風に応じてビニールの円環が繊細に舞い続ける。そして近づくと、作品中心部の白い大理石の床にはドクロが掘られている(メメント・モリ)。かつて信者が集った教会がアートの空間となり、自然の移ろいを反映するビニールの円環が、ドクロと互いに戯れているようにさえ見える。元教会という空間を得て、本作は、生と死や生命と非生命の境界が絡まり合う領域を垣間見せてくれた。精一杯生きることは、同時に死に向き合うことでもあるのだろう。

その日の朝。レアンドロと近くの海に入り、ひとときを過ごした。島全体がそうだが、海岸も岩がちで険しい。さまざまなものが溶け込んだ生命(いのち)のスープのようにとろとろの海水の心地よさに浸りながら。風、波、海……自然界は、動きを止めない。しかし現在、世界は人間が介在する動きや制御であふれ、それらはまた自然や（人間を含めた）世界全体をもコントロールしている。アルゴリズムが、人間の意図や把握を超えて稼働し続けている。

南イタリアは、実体的な自然や事物に根ざした人々の世界観に満ち、そこでは物質や可視・可聴的なものが非物質や不可視・不可聴的なものへとつながっていると感じた。今回の旅では、南イタリアのルーラルなリアリティと、アーティストが発信するリアリティが、まさに共振する現場に立ち会うことができた。アーティストはアナログ、デジタルを超えて多様な素材や情報を駆使し、世界を異なる知覚へと導く。今後、ＥＩＲが南イタリアと青森とのリアリティの相互触発も含め、それぞれの「ルーラリティ」のポテンシャル、そしてアートのポテンシャルを開いていくだろう。

※1　「インテルフェレンツェ・フェスティバル」のディレクター、レアンドロ・ピサノの来日を機に「Interferenze Seeds Tokyo（IST）2010」と名付けたメディアアート・フェスティバルを開催（ＩＳＴ２０１０実行委員会主催、原宿ＶＡＣＡＮＴ、二〇一〇年六月二十六－二十七日）。展示、トーク、ライ

ブ、パフォーマンスで構成。http://yukikoshikata.com/ist2010/

※2 「ポストパンデミックの時代」における新たなフェスの可能性を探索するワンナイト・オンラインフェスティバル（共催：MMFS2020×DOMMUNE、DOMMUNE.COMで配信、二〇二〇年六月二十六日）。二〇一〇年に開催した「Interferenze Seeds Tokyo（IST）2010」から十年を記念し、IST2010に出演したレアンドロ・ピサノやアーティストたちに新たな出演者を加え、同じく十周年を迎えDOMMUNEから進化した「SUPER DOMMUNE」の宇川直宏を交えたトークとライブを行った。http://yukikoshikata.com/mmfs2020/

※3 バルバラ・スタニーシャはローマ・ラ・サピエンツァ大学助教授で、テリトーリオ、地域開発、ツーリズム、人間の移動などが専門。『イタリアのテリトーリオ戦略——甦る都市と農村の交流』（木村純子＋陣内秀信編著、白桃書房、二〇二二年）の書籍の寄稿者の一人。

※4 陣内秀信「チェントロ・ストリコからテリトーリオへ——田園の再評価とその再生」、※3の書籍に掲載。

※5 作品には「menu del giorno」「piatto del giorno」など、レストランでの本日のお勧めを意識したタイトルがつけられた。

※6 《体験としての土》のキュレーターはミラノ在住のアレッサンドラ・ピオセッリ。アーティストのアンドレア・カレット＆ラファエラ・スパニャはともにトリノ在住で、それぞれ地質学、都市デザインのバックグラウンドをもつ。

電子

ポストパンデミック時代に未来をフォークする

ラボ「Forking PiraGene」@C－LAB

二〇二〇年十二月の一週間、台湾のC－LAB[※1]（台北）で展開された五つのラボによるプロジェクト「Lab Kill Lab」[※2]は、ポストパンデミックの時代に突入した年を反映しつつ、未来へのビジョンを示唆するものとなった。コンセプトと監修は、メディアアーティスト兼映像作家のシュー・リー・チェン[※3]。一九八〇年代以降、ソロでの活動と並行し、さまざまなアーティストやハッカーとのコラボレーションにより、先見的なプロジェクトを実現してきた。カリスマ的存在でありながら、常にフレキシブルでラディカルなチェンは、私が長年敬愛する人物である。

「Lab Kill Lab」は、「ラボ」という名の五つのワークステーションで構成されている。台北近郊の水質をリサーチする「Wateria」、米の中のコクゾウムシの動きに応じてサウンドを生成させる「Rice Academy Rice Bug Revolt」、原住民の村の自然がテーマの「Phytopia」、メキシコ人のＤＩＹメディアアーティスト、コンスタンツァ・ピナによる女性のためのワークショップ「Technoia」、そして私が関わった「Forking PiraGene」（チェンとの共同キュレーション）で、いずれもアーティストやハッカーによるリサーチをふまえて制作された展示に加え、会期中には本人たちがトークやワークショップを展開した。[※4]

チェンが国内外から集めたのは、デジタルおよびバイオテクノロジーの最前線を担う実験精神に満ちた面々で、いずれもオープンソースやフリーソフトウェアムーブメント、シビックテック・アクティビズムに関わっている。トランスジェンダーや原住民など多様なアイデンティティをもつ者も多い。主催はＣ－ＬＡＢ、日本統治時代（一八九五－一九四五年）に台湾総督府工業研究所として建てられ、戦後は台湾の空軍本部となった建物群を改装したセンターで、広大な敷地にある。その中の元図書館[※5]が、「Lab Kill Lab」の会場となった。

チェンと私がキュレーションした「Forking PiraGene」は、他のラボとは異なる背景をもっており、彼女が二〇〇一年にＡＤＡＣ（エイサー・デジタルアートセンター）[※6]に委嘱され立ち上げた、デジタルコモンズや「パイラシー（海賊性）」を創造的可能性として提起するオンラインプロジェクト「海賊の王国（Kingdom of Piracy）」（以下、ＫＯＰ）[※7]にまで遡る。「ＫＯＰ」は、オープンソースが出てきた二一世紀初頭という時代に、同時進行していた逆のベクトル――データの管理や独占――に対して批評とユーモアで立ち向かう数々のオンライン・アートプロジェクトで構成、その後、欧米や日本各地で新たな作品や展示を加えながら数年間展開された。

台湾で「ＫＯＰ」が立ち上がった当初、実現できなかった二つの企画があった。イリヤ・エリック＝リー（以下、イリヤ）による「Pira4all: PiraGene Discovery Campaign, Ilya Eric Lee's Gene Study」と、イリアとオードリー・タン（当時の表記はAutrijus Tang。以下、オードリー）による「PiraPort」である。前者は、創造性や文化的な能力を決定する遺伝子を各自が発見するという企画、後者はデジタルデータの監視に対して、多重ポート化や相互署名による信頼を基盤とするオルタナティブなＩＤプラットフォームを作るという構想に基づく企画で、これら二十年前の提案を、現代において再解釈しフォークする（新たなものを派生させる）ことが「Forking PiraGene」の出発点となった。天才的プログラマーかつハッカーとして当時シビックテック・コミュニティを牽引し始めていたイリヤとオードリーの企画は、デジタルやバイオデータの監視の問題を先見的に提起していた。科学技術が高度に発達・普及した現在において、それらの問題が当時と比較できないほど深刻になっていることはいうまでもない。加えて人類は、コロナ禍で生命の脅威にさらされることになったのである。

「Forking PiraGene」は、シビックテックでカリスマ的存在となりながら二〇一九年に急逝したイリヤを追悼する側面ももっていた。オードリーは、二〇一六年に台湾初のデジタル担当大臣となり、コロナ禍ではいち早くＩＣＴ（情報コミュニケーション技術）を駆使した対策で世界的な注目を集めた。会期中には「Ilya…存在者」[※8]と題し、イリヤへの追悼を込めながら、当時から現在についてのトークをオードリーと共に行った。[※9]

「Forking PiraGene」は、合成生物学の分野において、生体情報とデジタル情報の互換性が注目される状況をふまえつつ、デジタルとアナログ、生命と非生命、人間と非人間（微生物やウイルスも含まれる）の境界を問い直すプロジェクトで構成された。出品作家の一人である大山龍は、「コロナ禍の状況において、人間や非人間の境界やその変化、状態を考える」ことを念頭にラボ（実験室）的なインスタレーション《違和感／変化／状態》を展開した。[※11] 台湾到着後、ホテルでの隔離期間中から寒天培養を始めたという大山は、そのときの福島米をはじめとする日本と台湾の米の新芽と、新芽を集め蒸留する機材、ガジュマルの葉を米糊で象った「rice plants」などを暗い空間に展示している。また「Lab Kill Lab」枠の食の実験的イベント「キッチン・ソーシャル・アクト」では、寒天培地付きの芽に加え、芽先から抽出した成長ホルモンの入った座薬を食物として提供、また成長ホルモンの吸引体験など、感知しにくい生体からの物質やそれを取り込むことを人々に体験させた。米は、アジアで広く栽培されるが、その生育は土壌や水、気候と密接に関係している。大山は、米という身近な存在を、生物学、化学、地学を横断しバイオアートとして提示することで、物質／非物質、人間／非人間をつなぐ。彼の世界観は、彫刻や薬学、そしてドイツでメディアアートを学んだ上で、沖縄を拠点にしながら日本各地の地層や植生をリサーチする中で培われたものである。

また、アドリアナ・ノウフは、《Exomio Fragmissions》で、短波アマチュア無線ラジオを通じてスロベニアからゲイやトランスジェンダーの人々のバイオデータを送信、データは屋外のバルコニーに立てたアンテナ経由で会場のディスプレイで可視化された。さまざまなセクシュアリティの遺伝子データが混淆し、断片化され、地球規模で伝達されるプロセスは、自身もトランスジェンダーである作家本人（They）が、さらに外国人排斥（ゼノフォビア）への抵抗を込めて行う撹乱的かつ批評的な実践といえる。本人がデータを読み続けるオンライン・パフォーマンスでは、コロナ禍で物理的移動がないままゲノム配列がデータとして転送され、ディスプレイ上に色やパターンとして表示されたコードとしての身体が、逆にリアルなものとして浮上することになった。

コロナ禍の状況を受けて構想されたテレサ・ツン＝フィ・ツァオ＋ポール・ゴン＋ポー＝ミン・ウーの《Ultra Immune Taipei City (UITC)》では、台湾の感染症の歴史をふり返りつつ、免疫の有無により、社会・地理的に人々が三階層へとふり分けられる近未来の台北をディストピア的に描いた。展示は、まずは「白血球（WBC）政府」と題した感染症史家と新型コロナウイルス感染症用ワクチン開発者へのインタビュー映像が流れ、次に「免疫勝者」の若者の架空のインタビュー映像が展示されることで、現在から未来への創造とありうる未来を来場者に促した。

ツー＝トゥン・リー＋ウィニー・スーンの「forkonomy()」は、「南シナ海の一ミリリットルの水を購入し所有するには？」という問いを掲げることで、この海域における政治・社会・経済・環境的諸問題を問いかけた（次節で紹介）。また、《IDystopia 2035》は、二〇一二年に設立されたシビックテック・コミュニティの g0v とその中心人物イパ・チウ＋チア＝リャン・カオによる、ハッカソンから派生したオンラインゲームである。オードリーも共同設立者として名を連ねる g0v は、二〇一四年の「ひまわり学生運動」[※12]以降に構築された合意形成プラットフォーム vTaiwan をはじめ、ＩＣＴを通じ台湾の民主化に深く関わっている。本プロジェクトは、イリアとオードリーの「PiraPort」で提起され、現在まさに台湾政府が推進し議論の的になっている New eID（ＩＣチップによるデジタル認証システム）に代表される個人データ管理の問題を扱っている。今後、新機能やコンテンツが充実すれば、現実とつながる問題を提起するものになるだろう。

「Forking PiraGene」では、上記の五つの作品に加えて、マイケル・コナー（ニューヨークのメディア組織ライゾームのディレクター）のキュレーションによる「Rhizome Online Version」も展示された。その内容は、アーティスト自身のバイオデータをめぐる新たな身体性やアイデンティティ、アーカイブの問題を扱うものと、演算による生成システムを提示するものに大きく分けられた。前者には、プリントアウトされ続けるアーティストの遺伝子データ（シン・リウ）、三十五年間の自身の映像やメディアアート作品のビデオアーカイブをDNAに収納するドキュメンタリー（リン・ハーシュマン・リーソン）、企業に提供した自身のDNAの行方（デヴィン・ケニー）などがあり、後者には、薬品となりうる新分子構造を生成し続けるオープン・データベース（ショーン・ラスペット＋フランシス・ツェン）や、進化し続けるビジュアル作品を生成するアルゴリズム（ハーム・ファン・デン・ドーペル）がある。

「Forking PiraGene」の各プロジェクトは多様でありながら相互に問題系がつながっており、私たちが現在の科学技術そしてポストパンデミックの時代から未来を想像していくための契機が含まれている。「Forking PiraGene」でのプロジェクトはまた、「Lab Kill Lab」の他の四つのラボと共有する要素も多く、それらが会期中の活動を通して、より有機的につながっていく手応えを感じた。ラボを超えてアーティストたちが触発し合うだけでなく、来場者やイベント参加者とのコミュニケーションが誘発されるダイナミックな「Lab Kill Lab」が発動したといえる。それこそが、チェンが構想した「ラボのラボ」といえる状態ではないだろうか。「Lab Kill Lab」は、チェン独自の直観と才能、経験、熱意そして包摂力が大地となり、台湾に開いた新たな芽である。コロナ禍対策に象徴される人々のためのテクノロジーや、LGBTQや原住民に関する政策などで世界の注目を集める台湾において、かつてないアートの未来が育ちつつある。

クィアであること、キュアとなること——ツー＝トゥン・リー、そして「forkonomy()」

アルフレッド・クロスビーは『数量化革命』[※13]において、すでに近代科学以前の中世・ルネサンス期に、人々の世界観や思考様式が宗教的なものから普遍的・効率的なものに変化していたと指摘している。それは世界を「数量化・視覚化」によって把握し支配する方向であり、あらゆるものをモノ化・表象化し所有・領土化することを意味する。世界は常に動的に生成変化し、世界のあらゆるものは、環境要素の情報ネットワークの中で存在する「ノード」としてあり、人間もそこに含まれる。私たちは、個体として存在し意識をもつが、悠久の時間や空間の流れから見れば、流動する情報ノードのひとつといえる。ミクロの視点から見れば人間には微生物が集合しており、細菌やウイルスを媒介する側面ももつ。人間の身体自体、そもそも多様な存在からなり、常にさまざまな物質や情報、ミクロの存在が行き交っている。私たちは現在、コロナ禍を通じて世界にあらためて向き合うと同時に、最新の科学を駆使し新たなウィルスとの共存方法を探ろうとしている。人間中心主義な世界の搾取を脱し、人間の叡智を結集しながら、自らも自然の一部として相互依存的(インターディペンデント)な関係へと向かうこと。そのためには、非西欧的な世界で育まれてきた叡智が重要になるだろう。我々の身体に出入りする無数のウイルスが、西欧近代的なシステムが行きづまった地平に蔓延し始めたことで新たに引き起こす偏見、そして文化や人種、ジェンダーにおける多様性、非生物を含む世界と人間の関係性――これらはいわば、「クィア」的な性質[※14]をもつものといえないだろうか。この概念を、台湾のメディアアーティスト、ツー＝トゥン・リーの立ち位置や活動と同期するものとみなし、「クィアであること」が開きうる未来の可能性について検討してみたい。

台北を拠点とするツー＝トゥン・リーは、さまざまなメディアを駆使しながら活動する新世代のアーティストである。ツー＝トゥンは社会における非対称性をメディア・テクノロジーを通して可視化することで批評的に問うプロジェクトを、理論と実践を往還しながら展開してきた。台湾では、一九九〇年代に民主化とインターネットの普及が同時に起きたが、その

アドリアナ・ノウフ《Exomio Fragmissions》2020年、「Forking PiraGene」、「Lab Kill Lab」、C-LAB（台北）

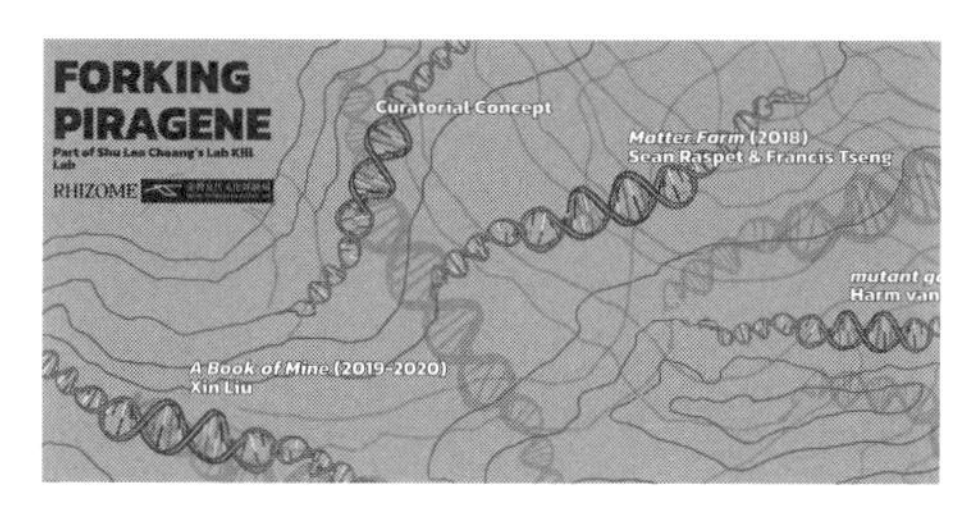

「Rhizome Online Version」トップページ、2020年、「Forking PiraGene」、「Lab Kill Lab」、C-LAB（台北）

大山龍《違和感／変化／状態》2020年、「Forking PiraGene」、「Lab Kill Lab」、C-LAB（台北）

「Ilya…存在者」左よりシュー・リー・チェン、オードリー・タン、筆者、2020年12月16日、C-LAB（台北）、「Forking PiraGene」、「Lab Kill Lab」
提供：C-LAB

体験に加え、学生のときに起きた「ひまわり学生運動」が本人（They）の活動に大きく影響していると思われる。ツー＝トゥンはその後、米国に留学、台湾のアイデンティティや国際的位置を自覚する。帰国後は米国と台湾、台北と地方を行き来しながら、各地のさまざまなマイノリティ（米国の非欧米人、台湾原住民、LGBTQ……）と交流しながら活動してきた。台湾は現在国連から脱退しており、中国との緊張関係が長年続いている。しかしそのような中、二〇一六年に初の女性総統となった蔡英文のもと、原住民・LGBTQ・IT政策が急速に進み、コロナ禍対応においても世界で類を見ない成功を収めている。シビックテック・コミュニティから出てきたオードリーがデジタル担当大臣（初のトランスジェンダーの大臣でもある）として、人々と政府の信頼を前提としたシステム開発と運用を実装し、コロナ禍以降の「ニュー・ニューノーマル」（四方）をもたらしている。

ツー＝トゥンは二〇一三年から二〇一九年まで、アーティストとしてシビックテック・コミュニティや複数のNPOや有力政党の活動に関わり、自らも政治的なイベントを組織してきた。ツー＝トゥンは、都市に生まれ育った新世代であり、米国で学んだアーティスト、知識層、同性愛者などのアイデンティティをもつが、そこに抑圧／被抑圧、マジョリティ／マイノリティの双方の要素が入り混ざっていることを自覚している。その上で、既存の領域をまたぎ境界をぶらしていく作業――クィア・アイデンティティを通したクィア・アクティビティをさまざまな現場で行っている。そこには、西欧近代以降確立された美術というシステムの問い直しや介入も含まれている。アートを通した本人の探索は、社会政治的、人種、ジェンダーにとどまらず、アートやメディアという、自身が活用す自体をメタ的に問うまなざしを備えている。ツー＝トゥンのプロジェクトでは、往々にして、観察者／当事者、抑圧者／被抑圧者の力関係が逆転・交換される。たとえば監督としての自身が現地の人によって撮影されたり、インタビュイーがインタビュアーになったり、などである。当初映画を学んだものの、映画産業が男性優位であることに気づき、現代美術を経由しニューメディアへと表現を拡張したという。

実験的なドキュメンタリー映画「Writing the Time Lag」（二〇一八年）には、選挙運動、原住民やジェンダーに関する運動など、ツー＝トゥンが米国と台湾での三年間に行った政治的体験が描かれている。本作では、近代化とアジア、国際社会の中での台湾、そして中国との関係、漢民族である自身と原住民、男と女、国家と個人、大文字と小文字の歴史、現代美術におけるグローバルとローカルの関係に加え、本人の祖父や自身の記憶も扱われている。映像がブラックアウトするシーンでは、観る側に眼を閉じてもらうなど、映像というもののメタフレームを露出させる異化的体験を組み込んでいる。映画は全員女性のクルー[※15]によるもので、すべてのショットはインタビュイーによって撮影されたという。

プロジェクト「#GhostKeeper」（二〇一八年）では、歴史の片隅に存在しながら忘れ去られた五人の人物（第二次世界大戦で亡くなった人、アミ族の人物、ツー＝トゥンの祖先など）をFacebook上でアバターとして一カ月間蘇らせ、アカウント消去後も「彼ら」の記録をプリントして残すことで、個人の生へのオマージュとするとともに、SNS時代の曖昧な生死の問題に切り込んでいる。またHIVに特化した暗号通貨プロジェクト「Positive Coin」（二〇一九年）は、「ポジティブ」がHIV+（ポジティブ）を意味し、そこにエイズ・コミュニティのためのキャッシュフローを作り出すことで患者を支援するというこのプロジェクトのもたらすポジティブな側面を重ねている。ツー＝トゥンは、デジタル技術を援用することで、弱者の支援とアートの活性化を提示したといえる。

そして最新作が、ウィニー・スーン[※16]との初コラボレーションとして制作された「Forking PiraGene」のプロジェクトのひとつ「forkonomy()」である（口絵P7参照）。会場には、海の青色を想起させるサークル状の絨毯があり、その中央にはツー＝トゥンが高雄の港や海辺で採集してきた海水が透明な容器に入れられ置かれている。絨毯の上にはまた、国連の海に関する規約書類（中国語・英語）やネットにつながったディスプレイが置かれ、さらなる情報を得ることができる。壁面には、高雄で海水を採集したときの記録映像と、ネットで参加可能なヴァーチャル展示空間、質問を自動生成し続ける「Question Generator」、そして水の契約に関するプログラムコードがプロジェクションされている。[※17] 来場者は絨毯の上でくつろぎながら映像や資料を見るとともに、南シナ海の水をいくらで購入したいかを紙に記すことができる。

会期中には二人のワークショップも行われた（ウィニー遠隔参加）。参加者は、水や水域をめぐる国家間のせめぎ合いを水の値づけや契約、売買のシミュレーションすることで、共有物である水の領土化の問題や、その背後にある近代的な価値観（大航海時代以降、覇権の対象となってきた海）について批判的に検討する機会を得た。海は、古来よりさまざまな物や人、動物を運び、つないできた。台湾は、大陸との関係に加え、北は日本や千島列島、南はフィリピンとともに花綵(はなづな)列島の一部に属し、南にはインドネシアを介してオーストラリア、東はミクロネシア、メラネシアにつながっている。かつて、これらの地域に国境はなく、海を含む自然や事物は共有の資源であった。近代は本来所有し得ないものを所有し、モノ化しえないものをモノ化し、取引の対象としてきた。数量化・視覚化は、文字や表象による世界の体系化とともに、自然や事物、知識の所有や支配を推進する。しかしかつての台湾原住民を含め、文字を持たない文化は、世界を共有物と見なしていた。「forkonomy()」は、水という「コモンズ」をモノ化、売買の対象とする（貨幣経済に取り込む）近代のあり方に対して挑発的なシミュレーションを行うことで、人々を数値化や所有の概念から解き放ち、自律的かつ闊達に航海していく「クィアの海」（ツー＝トゥン＋ウィニー）をめざしている。

カントは、「他者を手段としてのみならず目的として扱うこと」という言葉によって、人がモノ化されてしまうことを批判した。水や物、動植物や人間を含む生命までもが数量化され、非対称性が支配する現在において、「他者」とは、被抑圧者を示すだろう。それは境界を引く主体ではなく、自分の意思にかかわらず、境界を引かれる者である。そして本来、「forkonomy()」の根底にある「クィア」は、引かれた境界の内部にも外部にもその線上にも収まらない存在[※18]として、人間以外の存在——動植物、石など世界に存在するさまざまな事物や状態——との連帯を誘っていく。

経済学者の宇沢弘文は、「社会的共通資本」として三つのものを挙げている。自然環境、社会インフラ、制度資本（教育や医療など）である。今世紀は、所有ではなく共有、視覚より聴覚、触覚、嗅覚など、周囲の環境を心身で感じていくことが社会そしてアートにとってもますます重要になっている。その上で私は、宇沢が投じた、人間による社会のための「共通資本」を人間以外の存在——デジタルデータも含む——へと延長したい。そこでは人間も、近代的な個人を超えて、多様な微生物をもち、身体内外でアナログ、デジタルを含むさまざまな情報を入出力し続ける存在のひとつとしてある。その情報とは、まさに「エコゾフィー」における自然、社会そして精神のエコロジーとして世界を循環し続けている「コモンズ」で、人間と非人間のための「共通資本」なのではないだろうか。

そしてコモンズ性を強く感じることができるメディウムが、自身と他者や人間と非人間の境界を超えて遍在し続ける水なのではないだろうか。「forkonomy()」でも提示されたように、水やデジタルデータは、は「クィアであること」――既存の境界におさまることなく、自由に越境していく多様な存在や動き――につながっている。デジタルデータは知覚不可能な自然や生体の変動をセンシングし、可視化・可聴化してくれる。※19 そして（言葉遊びのように思われるかもしれないが）クィアであることは、同時に「キュアとなること」、つまり世界そして自らを包摂することであり、ひいては治癒していくことに通じるのではないだろうか。

ラボ「Forking PiraGene」のひとつとしての「forkonomy()」。ポストパンデミック時代に未来をフォークすること、それはアイデンティティとしての「クィア」に発し、おのずと「キュア」へとつながっていく。ヨーゼフ・ボイスはかつて、「挑発はケアである」と述べた。それはまさしくアートが分野を超えて、世界の中に水のように浸潤していくことを想起させる。「クィアであること、キュアになること」、そして世界におけるミクロ／マクロの時間や空間スケールを超えつながった、動的な情報態としての世界自体を「コモンズ」ととらえること。それは境界の自明性を問い続けるアートという批評的、創造的な思索と実践を通して浮上しうる。「コモンズ」へ向かうプロセスは、広く多くの人間や非人間が関わることによって可能になるだろう。

※1　Taiwan Contemporary Culture Lab。台湾文化部の台湾生活芸術基金会が運営する文化センター。
※2　「Lab Kill Lab」（C-LAB、二〇二〇年十二月十四-二〇日）https://lkl.clab.org.tw/
※3　国立台湾大学で歴史学、ニューヨーク市立大学で映画を学び、一九八〇年代以降メディアアクティビズムやビデオアートに関わる。SFサイバーフェミニズム、遺伝子技術などをテーマに社会に存在するさまざまな境界をユーモアと挑発とともに問うメディアアート作品やプロジェクト、映画を製作。二〇一九年ヴェネツィア・ビエンナーレの台湾代表。パリ在住。
※4　「Phytopia」（三プロジェクト、関わったアーティストは十人）、「Wateria」（一プロジェクト、関わったアーティストは四人）、「Rice Academiy Rice Bug Revolt」（一プロジェクト、関わったアーティストは六人＋Mycelium Networrk Society）、「Technoia」（一プロジェクト、関わったアーティストは三人）、「Forking PiraGene」（五プロジェクト、関わったアーティストは十一人）。これら四つのラボは、それぞれワークショップ、トーク、イベントを開催。加えて「Rhizome Online Version」（五作品）も実施した。
※5　スペースII。一階と二階を合わせた総面積が約千七十六平米。建物全体の半分以上を「Forking PiraGene」が占めた。
※6　パソコンや関連機器の企業エイサーが文化支援枠で開設していたセンター。

※7　「Kingdom of Piracy」（シュー・リー・チェン、アルミン・メドッシュ、四方幸子による共同キュレーション、二〇〇二－〇六年）http://www.mauvaiscontact.info/kop/

※8　Ilya Eric Leeの「Ilya」は、仏語のIl y a（～がある）を意味する。

※9　「Ilya…存在者」オードリー・タン、四方幸子。モデレーターはシュー・リー・チェン。C－LAB、二〇二〇年十二月十六日。トーク内容は和訳され以下で公開。『HILLS LIFE DAILY』連載「エコゾフィック・フューチャー」1・2「オードリー・タンとの対話――十一のキーワードで紐解くデジタル・テクノロジー・社会」
［第一回］https://hillslife.jp/series/ecosophic-future/dialogue-with-audrey-tang-1/
［第二回］https://hillslife.jp/series/ecosophic-future/dialogue-with-audrey-tang-2/

※10　「Rhizome Online Version」では、五つのバイオ・コモンズをテーマとする既存のオンラインプロジェクトがキュレーションされた。本サイトのデザインは、「Kingdom of Piracy」のOpen Sea（コモンズとしてのデジタルデータをオープンな海として表現）を基本に、バイオテクノロジーが進展した現代を反映し、DNAの二重螺旋を絡ませたものとなっている。https://piragene.rhizome.org/

※11　その後、タイトルを《身土不二》に変更。

※12　二〇一四年三月十八日、台湾の学生と市民が立法院を占拠したことを契機とする社会運動。

※13　アルフレッド・クロスビー『数量化革命―ヨーロッパに覇権をもたらした世界観の誕生』紀伊國屋書店、二〇〇三年、原書は一九九六年。

※14　「クィア」は、生きている時代や文化においてマイノリティであるとされる性的指向や性自認をもつ人々を意味する。私は「クィア的」という言葉で、クィアをより広義のマイノリティを包括する概念として延長し、この言葉を使っている。しかしそれは、社会で通用している枠を超えた使用であ

ることを明記しておく。

※15　ツー＝トゥンがあえて「全員女性」と入れていることは、彼女がフェミニストであることと、男女格差がまだ根づく現代においては、そう書き添えることに意味があると考えられるからだろう。

※16　ウィニー・スーン（They）は、香港出身のアーティスト、リサーチャー。ロンドン芸術大学准教授（クリエイティブ・コンピューティング研究所）。植民地時代の遺産やポストコロニアル的独裁に対峙するアイデンティティ・ポリティクスをもつ。www.siusoon.net

※17　これらのシステムは、フリーやオープンソースのソフトウェアおよび分散型プロトコルによって構築された。

※18　ジョルジョ・アガンベンの「ホモ・サケル」を想起する。

※19　デジタル技術が可能にした自然のさまざまな存在や動きのセンシングと可視化・可聴化を、二〇〇九年に私は「環境的無意識」と名づけた。その状況に向き合うことで、人間が世界を把握し、自らを含む環境や世界にとってよい方向にフィードバックをしていくことを念頭に置いている。

コモンズからNFTへ

Ⅰ 「Kingdom of Piracy」「Forking PiraGene」そして「From Commons to NFTs」

二〇二一年は、NFTがアートにおいても大きく注目された年として記憶されるだろう。この年のとりわけ後半、日本でも多くのアーティストがNFTに参入、話題を聞かない日がなかったほどである。私はNFTのあり方、起きている状況に対して少し距離を置きつつも、その意味について考える必要性を感じていた。そのような中、一九九〇年代のインターネットの黎明期から先見的な作品やプロジェクトを発表してきたメディア・アーティストのシュリー・チェンより、「コモンズからNFTへ（From Commons to NFTs）」というリレーエッセイのプロジェクトを開始するので、七人の執筆者の一人として参加しないかと打診があった。このプロジェクトは、デジタル文化やネットワーク理論の専門家でネット批評を一九九〇年代から活発に続けるフェリックス・シュタルダー、DIYや創造的なコミュニティのためのオンラインメディア「Makery」（パリ）の編集長ユウェン・シャルドネとともに彼女が企画したものである。

「コモンズからNFT」へというタイトルのこのシリーズのアイデアは、二〇〇〇年前後にインターネットの世界で注目された「デジタル・コモンズ」（フリーソフトウェアの思想を基盤にし、一九九〇年代のオープンソース・ムーブメントを経て、世紀の変わり目にローレンス・レッシグが提唱した「コモンズ」「フリー・カルチャー」に連なる情報共有やコラボレーションやコミュニティの生成可能性）に発している。レッシグは「クリエイティブ・コモンズ」の共同創設者としても知られるが、未来の創造のためのボトムアップな情報共有のビジョンが、彼が同時に危惧していたデジタル「コード」による監視や支配に侵食されてきたのがこの二十年である。今世紀に入り企業や政府が人々の日々の挙動を管理する社会へと移行したが、それを可能にしたのがデジタル技術の進歩であった。取引においてはビットコインなど暗号通貨が登場し、取引履歴の透明化と分散保持を可能にする台帳であるブロックチェーンは、非中央集権性を推進しうるものとして開発されたが、実際の運用は投資的なものに集中した。そうして現れたNFTは、「代替不可能」性によってアートの分野で大きな注目を浴び、前代未聞の熱を帯びた。このことは、創造やアートにおいて何を意味するのだろうか。

本プロジェクトでは、「デジタル・コモンズ」を探求してきた執筆者を中心に、Web2.0やブロックチェーンの時代から関わったメンバーが、各自の視点で「コモンズからNFTへ」にアプローチしている。全体的には、「コモンズ」が「NFT」に取って代わられたか否かや、コモンズの精神がNFTにおいても継続されうるのか、その場合はいかなるかたちでなのか、という問題系が、未来の社会に向けた切実な問いとして投げかけられた。具体的には、二一世紀以降のデジタル・コモンズの可能性を探求するオンライン・プロジェクトで前項でも紹介した「Kingdom of Piracy（KOP）」の系譜にあり、その次の展開として、二〇二一年のNFTアートの市場におけるハイプを受けて、あらためて「コモンズ」の視点からNFTを検討し、同時にコモンズの可能性を再検討するプロジェクトである。

私は一九九〇年代からメディアアートに関わってきたが、デジタルを介したアートにおいては、二〇〇〇年前後以降の「コモンズ」ムーブメントと、二〇二一年以降に注目された「NFT」では、姿勢、コンセプト、表現、流通などあらゆる面で根本的な違いを感じている。とりわけ所有やオリジナリティの概念も含め、NFTがその転換を飛躍的に加速させている。「コモンズからNFTsへ」は、二〇二二年一月から七月まで毎月末に公開され、シュタルダーを筆頭に、ミシェル・カスパーザック（キュレーター）、デニス・〝ジャロミル〟・ロイオ（ソフトウェア・エンジニア、アーティスト、アクティビスト）、コルネリア・ゾルフランク（アーティスト）、ジャヤ・クララ・ブレッケ（データ経済学、分散型データインフラストラクチャ、ブロックチェーン技術研究者)、ツー＝トゥン・リー(メディアアーティスト、アクティビスト)と私が参加した。二〇二二年前半において、異なる地域の異なるスタンスをもつ七人が、アートをめぐってNFTとコモンズについて寄稿したことは、同時代の記録としても意味があるだろう。本プロジェクトを展開した半年間も、NFTをめぐる市場は変動を続け、加えてロシアのウクライナ侵攻など、世界情勢においても歴史的な変動が起きた。

II　NFTは(モア・ザン・ヒューマン)コミュニティの形成のために使われうるか?　日本におけるアーティストの実践※1

まず私が執筆を担当した第二回(二〇二二年二月二十八日公開)の概略を紹介したい。私は一貫して情報フローから世界を見ており、そこでは人間以外の生命やモノそしてデジタル・エンティティも含めたものが絡まり合い、それぞれが自律しながらもインターディペンデントな関係にある。この世界にあるものはすべて、宇宙から生まれたものであり、コモンズである。人間が生み出したデジタルデータもその延長にあるといえるだろう。西欧近代が抑圧・排除をしてきた人々が各地域で育んできた叡智や文化、そして動植物や環境に存在するシステムを、デジタル技術を援用してつなぎ合わせ、未来へ向けてエコゾフィーを進めること。そのためには、アートがすべての分野に地下水脈のように浸透していくことが必要なのではないだろうか。

二〇世紀においては、時間・空間や人々をはじめ、あらゆるものがデータで制御されていった。二〇世紀末にインターネットが普及し始め、デジタルコモンズと独占支配の両ベクトルが対立したが、二〇〇一年の米国同時多発テロ事件を契機に、データ監視が強化されていく。一九六〇年代にDIYでコンピュータを生み出したカウンターカルチャーやフリーカルチャーの系譜は、それ以後ことごとく抑圧されていった。そして現在においては、人間さえも（支配者／被支配者にかかわらず）アルゴリズム（NFTも例外ではない）に支配されている。二〇二一年のNFTハイプを受けて、日本でも夏以降に多くのアーティストやクリエイターがNFTに参入、真鍋大度、エキソニモ（ニューヨーク在住）、藤幡正樹、落合陽一など著名なメディアアーティストも作品を発表し始めた。

それに先んじて、NFT以前の時代にブロックチェーンにいち早く注目し、作品を発表してきたのがGohである。資本主義というシステムに違和感を感じ、大学時代から自律分散ネットワークシステムを扱う作品を発表してきた彼は、ブロックチェーンと出会ったとき、「個人では覆しようがなかった世界の不公正さにあらがう突破口になると確信」したという。二〇一四年からブロックチェーンでの分散型監視システムや暗号通貨に由来する「信頼」を自動化する概念である「TRUSTLESS」を考察する作品を発表、その後文化的尊厳の生存可能性を開くシステムとしての「Whole Museums」構想をはじめ、現在に至るまでさまざまな作品や論考を発表している。彼は、「今のNFTには、暗号通貨の技術であるからこその非中央集権性もほぼありません。現実には、ビットコインなどの暗号通貨の思想と、NFTの思想は異なるものになりました[※2]」「NFTは海賊的なこととは逆で（NFTを攻撃してる側が海賊的で）、今はNFTは規制側のものだと思います。僕はアナキストだからNFTは使わない、といったらイメージしやすいでしょうか[※3]」と言い切っている。

技術的な側面を熟知した上で長年実践を続けるGohの批判的スタンスをふまえた上で、キュレーターとしてNFTに関して筆者が日本で注目する動きに、ジェネラティブな作品がある。ひとつはクリエイティブコーダーの高尾俊介による《Generativemasks[※4]》で、彼は数年来、Processingによる形態の探求を日々続ける中で派生したこのジェネラティブな作品を、二〇二一年夏からNFTアートとして販売、それによってクリエイティブコーディングのコミュニティが生まれたことも重要な側面である[※5]。加えて自律分散型ネットワークや人工生命研究など、科学を援用した創発的なアプローチとしては、二〇二一年末にALTERNATIVE MACHINE[※6]が発表した二作品《SNOWCRASH》と《LIFE》がある[※7]。《SNOWCRASH》では、会場の空間をNFTアート作品（音波）のデータストレージとして扱うが、来場者が音を出すと作品のNFTデータが壊れ、「唯一性」が脅かされるという背反的な構造をもつだけでなく、空間をデータストレージとしたため、展覧会の終了と同時に作品データが消滅した。「LIFE」は、「ether（イーサリアム上の通貨）[※8]を糧に、ブロックチェーン上で自律的に自己複製し続ける「スマートコントラクト（＝エージェント）」（ALTERNATIVE MACHINE）で、エージェントが子孫を残すためのエネルギー＝etherが、NFTの販売報酬に依存するため、エージェントは自分に紐づいたNFTを発行するシステムをとる。

ブロックチェーンと暗号通貨のシステムに、人間中心主義でないプロセスを取り込むGoh（彼はNFTを使わない）、民俗学な仮面にも見えるジェネラティブアートを介してコミュニティの生態系を生み出した高尾俊介、NFTに人工生命研究からハッキングするALTERNATIVE MACHINE。これらは人間や非人間（デジタル・エンティティを含む）へとコモンズを拡張する果敢な実験の事例といえる。そしてそのビジョンは、次に紹介するフェリックス・シュタルダーが言及した「人間を超えた（モア・ザン・ヒューマン）」の世界にも通じるのではないか。

III　社会・文化・アートからコモンズとNFTの今を浮き彫りにする

その他の回のエッセイについても要約を紹介したい。第一回（二〇二二年一月三十一日公開）

ALTERNATIVE MACHINE《SNOWCRASH》、ALTERNATIVE MACHINE展、WHITEHOUSE、2021–22年　撮影：土井樹

高尾俊介《Generativmasks》2022年、Token Standard ERC-721、Blockchain: Etherium

ツー＝トゥン・リー＋ウィニー・スーン「forkonomy()」のワークショップ風景、「Forking PiraGene」、「Lab Kill Lab」、C-LAB（台北）、2020年

Edition //OG flowers //, #1-3, #6-8, anonymous-warhol_flowers@May12, still available for purchase as NFT

コルネリア・ゾルフランク《 //OG Flowers// 》、「NFTNETART—FROM NET ART TO ART NFT (NfTNeTArT)」展、panke. gallery & Office IMPART、ベルリン、2022年

の執筆者フェリックス・シュタルダーは、デジタルカルチャーやネットワーク理論を専門とする研究者およびプロデューサーであり、一九九〇年代以降アカデミズムとアクチュアルなシーンの双方において批評家かつ実践者として活発に活動してきた。「コモンズからNFTへ――デジタルオブジェクトとラディカルな想像力」と題されたエッセイでは、「From Commons to NFTs」を開始した社会・技術的背景と、二〇〇〇年代前後の「コモンズ」がめざしたユートピア、またコモンズとNFTとの比較などを展開していった。

シュタルダーはまず、「知的財産」「共同財産」「認証付きコピー」の三つに注目し、その関係性がNFTによって大きく変化したと指摘する。知的財産と他の二つとの間には大きな断絶があるとした上で、後者二つ――共同財産を「コモンズ」、認証付きコピーを「NFT」とみなすことも可能だろう――を対置することがよいとは限らないと述べつつも、「ラディカルな出発点を定式化するため」にその方法を採用する。そもそもソフトウェアを共有資源とみなすコモンズの概念は、インターネットの実践的思考とユートピア的思考の混交体であったが、結果的に「その社会的ユートピアの地平が実質的にはニッチへと縮小」してしまったとシュタルダーは言う。その言葉からは二〇〇〇年前後にせめぎあっていたデジタル・コモンズと著作権管理の間の関係が、Web2.0以降、一部の独占的プラットフォームに支配されてしまった事実が想起される。だが彼はその上で、NFTがデジタル通貨とコレクターズアイテムをひとつにし、ブロックチェーンへの入口となったと述べ、NFTにおいては複数の「オリジナル」が存在し、「複数存在するコピーのすべてが同一」であり、作品としての希少性はコピーのひとつが「オリジナルな」あるいは「認証付き」コピーとしてブロックチェーンに保存されることで保たれることを指摘する。ここで重要なのは、その希少性が（認証の有無という）「関係からなる属性[※9]」に拠っているということである。

ここで「コモンズ」と「NFT」を二項対立的に比較することの困難さが露わになるだろう。前者はアナログからデジタルへの移行が開いた可能性を扱い、後者はアナログとデジタルの対立を基盤として成立していた価値体系自体を無効にするからだ。それとともにアートにおいては「オリジナル」の定義や所有のあり方について再検討するただ中に私たちはいる。「コモンズからNFTへ」というタイトルは、コモンズとNFTとを時系列的な移行や対立的存在として扱うのではなく、NFTがもたらした地平において、コモンズがいかに関係しうるのかという問いとして発されていると考えられる。しかし同時に、NFTはコモンズの概念と著しく対立する基盤に拠っている。その基盤とは、貨幣資本主義である。シュタルダーは、NFTは既存の搾取型資本主義の論理を強化・拡張するとし、NFT市場で著しい技術的な中央集権化が進むと述べている。貨幣資本主義は、コモンズが乗り越えようとした経済基盤だが、NFTではそこが揺るがずむしろ加速化され、一部の人々への極端な富の集中が起きているというのだ。

コモンズとNFTが、ラディカルに異なる地平を基盤にし、後者が時代を席巻する現在、既存の資本主義論理の強化・拡張を懸念しながら、シュタルダーはテクノロジーの可能性の探求に微かな希望を託している。コモンズかNFTかという単純な二者択一ではなく、「ブロックチェーンの技術的潜在力が、人間を超えた（モア・ザン・ヒューマン）コモンズという社会のヴィジョンを進展させるために利用できるか否か」を探求すべきであると。

第三回のミシェル・カスパーザック「NFTへの倫理的関与——不可能か、実現可能な野望か？」（二〇二二年三月三十一日公開）では、まずNFTにおける主なトピックとして、（1）インフラストラクチャの不安定さ、（2）無駄の多い技術設計、（3）お金を生み出すマシンとしての現象とそれを覆そうとする動き、が挙げられた。一つ目は、技術的な脆弱性により、将来的に消滅や崩壊する懸念である。二つ目は、地球環境への悪影響の可能性（事例として、イーサリアムがエネルギー消費量の多いプルーフ・オブ・ワーク[※10]に依存することを挙げている）[※11]。三つ目では、NFTの環境負荷に対して二〇二一年二月に立ち上がったClean-NFTsのDiscordサーバが言及されている。

カスパーザックはその上で、アーティストが運営するプラットフォームとクリーンなNFTの事例として、プルーフ・オブ・ステーク[※12]を採用するTezosで運営され、急速に成長したオンライン・プラットフォーム「Hic et Nunc」を参照する。このコミュニティで起きた相互支援を評価しつつも、クリーンなNFTをめぐって他のコミュニティも含め論争が激化したという。後半では、暗号通貨ブームに便乗し、NFTによる資金調達の可能性を追求したり、資金を正当な動機に向けることで社会変革をめざそうとする倫理的な動きが紹介されている。前者としては、NFTをオークションに出品し、亡命先を探す家族がヨーロッパに移住可能なゴールデン・ビザを購入するための資金調達を促すPeng!Collectiveの「GoldenNFT.art」、後者としては、コンゴ共和国プランテーション労働者芸術連盟（CATPC）が、オランダ人アーティストのレンゾ・マルテンスと提案した「Balot NFT」などがある。「Balot NFT」では、マルテンスがコンゴの旧ユニリーバ・パーム油農園跡地に人間活動研究所[※13]を設立、そこから輩出したアーティストによるCATPCを、マルテンスが有名ギャラリーに紹介するなどで話題を集めている。カスパー・ザックは、これらを「新しい種類のコモンズそれ自体を求める戦いである」としている。

第四回のデニス・〝ジャロミル〟・ロイオ「真のクリプト・ムーブメント」（二〇二二年四月三十日公開）では、サイファーパンク・カルチャーやBitcoin coreのコード開発に関わった立場から、地下で生まれたクリプト（暗号）コモンズ運動が倫理的基盤を世界中の多くの人々と共有することができた経緯について、二〇一〇年の「ウィキリークス封鎖[※14]」を例に述べられている。ピア・ツー・ピア・ネットワークの仲介者を排除した時期を経て、技術が複雑化して仲介が必要となった現在では、暗号コモンズ運動が自律的なプライバシーのレイヤーを提供するという。ブロックチェーンのプラットフォームは、人々に不変のストレージと検証可能な分散型計算を提供すると述べ、分散型自律組織（DAO）の事例として、ウィキリークスのジュリアン・アサンジの法的弁護用の資金調達を推進したイニシアティブ「アサンジDAO」が紹介された。ジャロミルは、このように暗号コモンズの社会・政治的背景をふまえ主な課題や目標を定義した上で、「web3」プラットフォームを「参加するピアによって完全にホストされ、摩擦なくスケールする分散型計算のための分散型インフラストラクチャ」とし、開発可能なアプリケーションのシンプルさと、開発の質的な複雑さの双方をもつとする。そして暗号での運用は「自由」を意味するのではなく、インフラをコードとして非物質化する、証明可能な新しい信頼モデルへの移行を意味すると述べている。

ジャロミルは結論として、クリプトコモンズ運動の理想は「人間が機械を理解することで、中央集権的なブラックボックス・ガバナンスの優位性を撃退すること」であり、複製可能な計算のための決定論的条件を作り出し、その動作モードが科学的に証明され、シンプルに伝達され、民主的に議論されるアルゴリズムを実装することだという。そして最後は、金融の応用を超え、持続可能性と正義に焦点を当て、社会組織や制度における信頼や複雑さに対処する新しい方法を推進する暗号コモンズ運動が必要だと締めくくっている。

第五回のコルネリア・ゾルフランク「初めてのNFT、そしてそれは人生を変えるような体験ではなかった」（二〇二二年五月三十一日公開）は、ネットアートの世界で一九九〇年代から活躍する著者が、ノンプロフィットのpanke.galleryとコマーシャルギャラリーのOffice IMPART（いずれもベルリン）の共同主催による「NFTNETART—FROM NET ART TO ART NFT（NfTNeTArT）」展に参加した体験を綴ったものである。NFTの喧騒に懐疑的な中、あえて現場に入ることで、その（不）可能性を探索するという果敢な挑戦であったという。

出展した《//OG Flowers//》（P307参照）は、自ら開発したnet.art generator（NAG）[※15]を使ってアンディ・ウォーホルの花のような画像を生成させる既存作品《anonymous_warhol-flowers》を、NFTとしてミント[※16]したもので、元の作品で問いかけていたオリジナリティと著作権の問題に、より踏み込むものとなった。結果的に、自分も他のアーティストも主催者も注目を集め、多少のお金を稼ぎ、その意味では成功を収めたが、ゾルフランクには違和感が残る。その経験全体がNFTにまつわる誇大広告——市場のメカニズム、資産価値、成功を決めるプレイヤーなど——に支配されていると感じたためという。彼女は、キュレーターのコルヤ・ライヒェルトによるNFTに関する言葉「彼ら（所有者）がオリジナルをもつという証明された虚構である」を引用し、ここでの芸術的行為とは購入行為なのではないか、と皮肉っている。ゾルフランクは最後に、ジャーナリストのデヴィッド・ジェラルドが、ＮＦＴがアーティストにとって詐欺以外の何ものでもないダイナミクスであるとして挙げたリストを紹介した上で、こう述べる。暗号通貨の宣伝に乗るかどうか、名前や作品を信頼性の上で宣伝するかどうかは、自分で決めることだと。そして結局、暗号通貨は誰の利益のためなのか、という根源的な問いに立ち戻る。

第六回のジャヤ・クララ・ブレッケ「貧しくも楽しく生きることは難しくなっている」（二〇二二年六月三十日公開）では、一九世紀の思想家でアナーキストのピエール・ジョゼフ・プルードン、経済学者エルナンド・デ・ソト、貨幣とメディア技術の関係を研究するラナ・スワルツ、人類学者でアクティヴィストのデヴィッド・グレーバーや考古学者のデヴィッド・ウェングローなどの言葉を引用しながら、左翼的なブロックチェーン批判から距離を取りつつ、経済や価値、貧富の差についての持論が展開された。人間の営為や非人間との共同進化という「原材料」から価値が生み出されるという点で、多様な「生」の一部を私有化するために、貨幣が（与えられた領域内の）普遍的なトークンとして重要な役割を担うこと[※17]、過去にも貨幣が共同体を形成した[※18]ように新たな貨幣が開きうる新たな取引共同体の可能性があることなどが語られていく。その上でジャヤは、ＮＦＴがコミュニティを実現した例として、「FreeRossDAO」[※19]と「アサンジＤＡＯ」（前述）[※20]を挙げている。

NFTが経済や金融による文化の支配を伴うという批判は多いが、ジャヤは、その逆の解釈をグレーバーやウェングローの文献を参照し示唆する。[※21]そこでは、人々が互いや、地球、宇宙と関係してきた方法の素晴らしさと狂気について述べられており、彼らの中心的な問いは、異なる生き方をする者への想像力が、とりわけ現代においてなぜ徹底的に捕えられ規制されたのかということである。ジャヤは、トークンやNFTがもたらす帰属や権利などの新しい仕組みによって可能になるものを注視しているという。トークンやNFTのイノベーションという真摯な取り組みとグレーバーとウェングローの中心的な主張が、規模が大きいほど階層や賃金奴隷、官僚主義や力を強制してはならないという面において、相乗的であるのだと。その一例として挙げるのが、フランスのサン＝タングラスのコミューンに見られる習慣で、ある家庭が教会で祝福された二つのパンのうちひとつを食べ、もうひとつを右隣の家に贈るというものだ。翌週その隣人が同じことを行い、それが連鎖していく。[※22]このようなシステムが、村の季節の仕事や義務のローテーションのための装置となっているという。ジャヤは、トークン、NFT、そして多くのお金の新しい形は、このような特殊な儀式を通して人々を取引共同体に結びつけることができると述べている。そして最後に、暗号トークンとNFTが、新しい世界を想像するために必要な資金を資本主義の周縁から調達することを、ささやかではあるが容易にしてくれる、と結んでいる。

最終回のツー゠トゥン・リー「アートの海賊の海を航行する」（二〇二二年七月三十一日公開）は、本人が拠点とする台湾の地勢や政治、また原住民文化にアーティスト、アクティビストとして分け入りながら、ブロックチェーンやNFTの可能性を検討するものである。まずツー゠トゥンは、「原住民」という概念が、近代国家の正当性、土地や財産に対する権利とされるものに疑問を投げかけているとし、植民地権力が原住民に対して、物理的、契約的な暴力を行使し彼らのものを奪ってきたと述べる。そして国家体制の支配を回避する設計をもつブロックチェーンやNFTの技術が、分散化と水平化を可能にし、コミュニティを後押しし、社会における脱植民地化プロセスに貢献しうるかを問いかける。

ツー゠トゥンは、自然的・文化的な「失われたコモンズ」をめぐるアートプロジェクトとしての自身の実践を紹介する。ひとつは、二〇二〇年のウィニー・スーンとのコラボレーションによる「forkonomy()」（前項および口絵P7・P307参照）で、「南シナ海の一ミリリットルの水を購入し所有するには？」という問いのもと、開催したワークショップでは、政策立案者、学者、海洋生物保護者、文化事業者、アーティスト、原先住民アクティビストらとともに、議論やオークション、契約書作成、コード証明書パフォーマンスを通じて、「失われたコモンズ」について問いかけた。ツー゠トゥンはまた、土地が奪われ、不正に利用されてきた台湾東海岸のカタティプ族のコミュニティを訪れた際[※23]、人々がパラクワン（男性の集会所）と祖先の霊の柱を再構築しているのを見たという。祖先の霊に捧げるという創作のあり方、それは彼らにとって祖先とつながることである。作品をオープンソース的に捉える面も含め、ツー＝トゥンは、クリエイティブ・コモンズ・コミュニティにおける実践との類似を指摘する。そして暗号通貨とNFTの実践は、主に資本主義的な構造、概念、欲望に基づいており、ほとんどの場合、NFTは利益を生み出すためにアイデアを私物化する一方、ブロックチェーン技術の水平性は、さまざまな種類の芸術に対するロングテールの希望を拡大するが、周縁化されたアーティストや新人はそこから外れてしまうため、より創造的な介入が必要だろうと述べる。

ツー＝トゥンは、フリーライセンスのクリエイティブ・コモンズ（CC）製品をリリースする組織や個人が収益を得ている例に加え、二つの事例を挙げる。ひとつは、土地紛争に関して、投票を採用するカタティプ族のコミュニティが、二〇一八年に祖先の霊の意見を投票に加える議論を始めたこと、そして第三回でカスパーザックが言及したコンゴのCATPCの例であり、これらの創造的な方法が、私たちの所有権についての想像力を一変させうると述べる。ブロックチェーンの領域では、ヒューマン、サブヒューマン、ノンヒューマンや動物も、自分の声や記録を残すためのアドレスをもつことができ、そのような事態が既存の法律や契約システムに革新をもたらし、植民地化された世界を変えうる可能性があるのではないか、と。そして最後に、台湾のアーティストとして、ブロックチェーンが、全体主義的な政権に直面したとき、いかにデータの完全性を保護し、民主化の機会を提供するかの重要性を述べている。またNFTの芸術的かつ慎重な使用が、失われたコモンズの再整理と再概念化に役立つかもしれないこと、ブロックチェーンが植民地構造を水平化へと促進するなら、NFTプラットフォームが海賊の大海原で盗まれたコモンズを再定義する場所となるだろうことを指摘している。

✤

「コモンズからNFTへ」は、二〇二二年前半のNFTをめぐる思考と実践を、七人の異なる視点で照射した。自然や文化における「コモンズ」という普遍性をもつものが、個人の所有や既存の貨幣経済を基盤とするNFTの中でいかに可能か、独占や領土化、非対称の拡大、欲望の加速化にいかにアーティストやアクティビスト、思想家が批評的に抵抗しうるのか。創造を共有できるコミュニティやひいては人間だけでなく、非人間（モア・ザン・ヒューマン）も含めた生態系を創出できるのか。私たちそれぞれの日々の気づきや思考、そして行動に委ねられている。

〔追記〕

＊「コモンズからＮＦＴへ（From Commons to NFTs）」の全原稿は、Makeryにて公開。https://www.makery.info/en/category/from-commons-to-nfts/

＊「コモンズからＮＦＴへ」の全原稿を掲載した紙の出版物が、二〇二二年に台湾（中国語）とスロベニア（英語）で刊行された。

＊本原稿のうちⅠおよびⅢのシュタルダーに関する記述部分は、一部を調整の上、以下から転載した。四方幸子「コモンズからＮＦＴへ——デジタルオブジェクトとラディカルな想像力」（フェリックス・シュタルダー）解題、『Medium』第三号、二〇二二年十一月。

＊「生命の物質化・物質の生命化に関する理論調査と制作実践」研究会（美学、メディアアート、サウンドアート、バイオアートなどを専門とする学術研究者により構成）で、筆者原稿以外の六本を持ち回りで仮訳および検討をいただき、二〇二二年の春から夏にかけ議論を行ってきた。その成果として、第一回原稿であるフェリックス・シュタルダー「コモンズからＮＦＴへ——デジタルオブジェクトとラディカルな想像力」（訳＝秋吉康晴、増田展大、松谷容作）が『Medium』第三号に掲載された（筆者による解題も掲載）。またⅢの執筆にあたっては、研究会による仮訳を参考にさせていただいた。

※1　Yukiko Shikata "Can NFTs be used to build (more-than-human) communities? —Artist experiments from Japan", Relay Essay series "From Commons to NFTs" #2 (February 28, 2022, Makery) https://www.makery.info/en/2022/02/28/english-from-commons-to-nfts-to-more-than-human-commons-emergent-interventions/ 日本語版、四方幸子「NFTは（モア・ザン・ヒューマン）コミュニティの形成のために使われうるか？――日本におけるアーティストの実践」（リレーエッセイシリーズ「コモンズからNFTへ」#2）は以下に所収。『The New Creator Economy［ニュー・クリエイター・エコノミー］――NTFが生み出す新しいアートの形』ビー・エヌ・エヌ、二〇二二年。

※2　二〇二二年二月十八日付筆者宛メールより。

※3　二〇二二年一月二十七日付筆者宛メールより。

※4　https://generativemasks.io/

※5　高尾は「Generativmasks」の売り上げをProcessingに寄付、また二〇二二年秋にジェネラティブアート振興財団を理事の一人として立ち上げた。

※6　ALife (Artificial Life) 研究者池上高志を中心とした理論や技術の社会応用に挑戦する研究者集団。

※7　ALTERNATIVE MACHINE展、WHITEHOUSE、二〇二一年十二月二十八日－二〇二二年一月二十三日。池上高志、土井樹、升森敦士、丸山典宏、johnsmithが関わった。

※8　二〇一三年にヴィタリック・ブテリンにより考案されたブロックチェーン・プラットフォームおよびオープンソース・ソフトウェア・プロジェクト総称。

※9　データが同一であっても、「オリジナル（認証付き）」コピーとしてブロックチェーンに保存されているものとそれ以外が異なることを意味する。

※10　暗号資産のアルゴリズム。膨大な量の計算による取引の承認などのため、膨大な電力を消費する。

※11　イーサリアムは、二〇二二年九月二十五日、プルーフ・オブ・ワーク（ＰｏＷ）からプルーフ・オブ・ステーク（ＰｏＳ）へと転換を完了した。

※12　暗号資産のアルゴリズム。電力エネルギー使用量が低い。

※13　美術館や反植民地プロジェクト、旧プランテーション労働者がアートを学べるトレーニング・プログラムで構成されている。

※14　その後米国政府自身が、ウィキリークスを米国の金融封鎖の対象に加える合法的な根拠はないと判断した。

※15　検索語を入力すると、数秒後に新たな画像を構築するソフトウェア。

※16　ＮＦＴを新たに作り出すこと。語源は、英語の「Minting（鋳造）」。

※17　ジャヤが、プルードンに依拠して述べたもの。

※18　ジャヤは、スワルツが挙げた、ドル札の絵柄が複数の移民による言語集団を国家規模の交換ネットワークに結びつけた例を挙げている。

※19　麻薬のマーケットプレイス「シルクロード」を立ち上げ終身刑を受けたダークネットの創始者ロス・ウルブリヒトのために支持者が立ち上げたＤＡＯ。「Genesis Collection」（ロスが幼少期から描いている線画）の入札のために一千二百五十万ドルを調達、ロスの家族による慈善団体Art4Givingが世界的なアートフェアArt Baselで「Genesis Collection」をオークションにかけ、Free Ross DAOが入札し、Art4Givingに寄付された。

※20　ビットコインの最初の主要な反権威主義のユースケースとなったという。

※21　以下を参照。デヴィッド・グレーバー『負債論——貨幣と暴力の５０００年』酒井隆史監訳、以文社、二〇一六年。David Graeber and David Wengrow, *The Dawn of Everything: A New History of*

Humanity, Farrar Straus & Giroux, 2021.

※22　グレーバーとウェングローによる前掲書より、ジャヤが引用。

※23　とある夏、現地の女性やクィアのアクティビストについて／とともに製作する実験的ドキュメンタリーの撮影で訪れた。

第3章

創発へ

アートコモンズ展望

想像力という〈資本〉――来るべき社会とアートの役割

AmSSEをモデルにした京都発のフォーラム

二〇二一年はヨーゼフ・ボイス生誕百年であり、彼に影響を受けた知人たちと幾度となく「ボイスの理念の現在におけるアップデート」を話し合っていた。その中から二〇二一年に、二つのフォーラムが実現した。ひとつが「想像力という〈資本〉――来るべき社会とアートの役割」で、もうひとつが、ヨーゼフ・ボイス生誕百年／「対話と創造の森」誕生記念フォーラム「精神というエネルギー――石・水・森・人」[※1]である。

フォーラム「想像力という〈資本〉――来るべき社会とアートの役割」[※2]は、京都府域展開アートフェスティバル「ALTERNATIVE KYOTO ――もうひとつの京都」[※3]のキックオフ・イベントとして、コロナ禍で変わりゆく社会におけるアートの役割を検討することを目的に開催された。このフォーラムは、ALTERNATIVE KYOTOのディレクター、八巻真哉（京都府文化スポーツ部文化芸術課）とボイスの「社会彫刻」について話す中で生まれたものである。ボイスは「アート＝資本（キャピタル）」と唱えていたが、そこでの「資本」とは、貨幣経済によるものではなく人間の「創造力」を意味する。八巻はボイス生誕百年の二〇二一年に開催するALTERNATIVE KYOTOの全体テーマを、ボイスを起点とする「創造力」を「想像力」に転換し「想像力という〈資本〉」とした。そして対話の中から、ボイスと共振するものとして、二一世紀初頭に宇沢弘文が提唱した「社会的共通資本」（P170参照）も念頭に、想像力をもつアートが新たな資本として社会を変えうる可能性を話し合うフォーラム開催が決定、私が共同企画者となり、登壇者を含めた全体の構成と当日のモデレーションを担当した。

ボイスが使った「人類学的芸術（Anthropological Art）」という言葉は、人間以外の存在とも関係をもつことで、非人間のまなざしを鑑賞者に想像させる可能性を示唆していた。ポスト人新世、そしてマルチスピーシーズ人類学の時代においては、まさにさまざまな非人間的存在が私たち人間を「見ている」、そして私たちに「語り始める」ものとして世界が解釈されうる。環境破壊や社会の非対称性、パンデミックなど、複雑化し混迷を極めるこの世界において、「想像力という〈資本〉」では、非人間的な存在も想定しつつ、来るべき社会においてアートが果たす役割を検討するために、基調講演にオードリー・タン、そしてラウリン・ウェイヤースを、パネルディスカッションに岩崎秀雄、占部まり、奥野克巳を招聘した。

オードリーは、二〇〇〇年前後からシビックテック・ムーブメントに関わり、二〇一六年に台湾のデジタル大臣に就任以降、人々に開かれたテクノロジーを推進、その方向性を私は、ボイスの「社会彫刻」の現代における延長と捉えている。ラウリンは、一九九一年にボイスの追悼の意も込め、シンポジウム「アート・ミーツ・サイエンス・アンド・スピリチュアリティ・イン・ア・チェンジング・エコノミー（AmSSE）」（アムステルダム市立美術館）を実現している（P48参照）[※4]。異なる分野の人々が対話を重ねた「AmSSE」をモデルに、二〇二一年に何が可能かを私なりに検討した中で実現したのが、「想像力という〈資本〉」を含めた二つのフォーラムなのである。

パネルディスカッションの登壇者は、バイオアーティストで生命科学者の岩崎、「社会的共通資本」を提唱した宇沢弘文の娘であり、医療に携わり、日本メメント・モリ協会代表理事も務める占部、「人間を超える（モア・ザン・ヒューマン）」マルチスピーシーズ人類学を研究・実践する奥野の三人である。いずれも人間と非人間、生と死の境界の間もしくは「人間」や「生」の向こう側から、この世界を問いかけるまなざしをもち、そしてアートの可能性を、いわゆる美術界の外から見ることのできる存在である。

ここで話されたいくつかの重要な視点を紹介しておきたい。

［基調講演1］オードリー・タン「「テクノロジー」という形の民主主義」

オードリーはまず、台湾において民主主義とパソコンの成長が同時期であったと述べ、民主主義自体がひとつのソーシャルテクノロジーであり、人々の意見を反映し、共創（共同創造）する場であるという。そしてプラットフォームを通じた市民同士の対話が、芸術の共創の始まりと似ているとして、パブリックな場で人々が集まり参加できるアートの事例を挙げた。

オンラインでの「共創」として、オードリーは、「クリエイティブ・コモンズ」を挙げる。伝統的な典拠コントロールを放棄して、リソースをパブリックスペースに発信することで、未来の創造を応援すること、この思想は、彼女の根幹にある。「確信するのは、私たちより次世代のほうが知っている、ということ。彼らに見てもらうことで、私たちがより良い祖先になれたらと思う。想像しましょう、私たちが良い祖先になることを」

オードリーは、「デジタリゼーション」という言葉は、すべての人をつなぐことだと言う。それは単なるデジタル化や、機械をつなぐという意味の「デジタイゼーション」ではないのだと。そして最後に、「Poetician（詩心を持つ政治家）」として、彼女の主張を歌うかのように唱えてくれた。

「モノのインターネット」を見たら、「人のインターネット」に変えていこう／「仮想現実」を見たら、「共有現実」に変えていこう／「機械学習」を見たら、「協力学習」に変えていこう／「ユーザー経験」を見たら、「人間経験」に変えていこう／「シンギュラリティ（特異点）は近い」と聞いたら、どうぞ思い出して、プルーラリティ（複数性）はもうここにあることを。

［基調講演2］ラウリン・ウェイヤース「人は誰もがアーティストである」

ウェイヤースは冒頭で、オードリーの言葉から、「人は誰もが芸術家である」というボイスの言葉が、未来の社会に実現しうると感じたと述べる。それは彼女がボイスに出会った一九六八年に、彼から「創造力こそが真の資本だ。お金は創造力と関係がない。直接民主主義にしよう。政府は不要だ、人々に語らせよう」と聞いたことと通じると言う。一九九一年のシンポジウム「AmSSE」は、ボイスの「私が語ったことを、他の人にも話してほしい」という言葉を念頭に置き、アーティスト、科学者、精神性に関わる人々が相互に対話する場を開いたものである。

フォーラム「想像力という〈資本〉——来るべき社会とアートの役割」メインビジュアル

オードリー・タン、台湾から（以下3点の図版は配信動画のキャプチャ）

ラウリン・ウェイヤース、ドイツから

パネルディスカッションの一コマ。右より、奥野克巳、岩崎秀雄、占部まり、筆者

ウェイヤースは、「AmSSE」の対話の中から抜粋したさまざまな発言者たちの言葉を彼女の大らかな手書き文字で記し、その紙を背後に掲げて次々と読み上げていった。一九九一年という東西冷戦後の時代において語られた深く示唆的な言葉の数々は、今も私たちの心に響くものである。たとえば、「友愛」については、デヴィッド・ボーム（科学者）の「お互いを感じること。人がお互いに同じ気持ちをもち、責任を負うこと」という言葉や、ダライ・ラマの「真の友愛には、ある程度の責任感が伴う」などの言葉を紹介し、ウェイヤースは、ボイスの友愛は「自然で心の中までまっすぐ向き合うものだった」と述べた。続いて「世界の全体性」について、ボームの「量子力学と相対性理論を得た現代物理学によって、私たちは世界全体を見ている」という言葉や、ダライ・ラマの「現実は全体性だ。相互依存とは、存在するために特定のものになり合うこと。要因がなくては、存在できない。すべては関係している」という言葉が紹介された。

またアートについて、「アートは、不確定の経験を与える。アーティストは、鳥のように忙しい。［中略］仕事と一体化している、休まない。何をすべきか知っている。私たちは柔軟性を求め、アナーキーな状態を望む」というジョン・ケージの言葉をとり上げたのち、イリヤ・プリゴジン（科学者）の次の言葉、「もっとアナーキーさが必要だ。必要なのは、芸術、科学、精神など複数の見方である」につなげた。さらに、プリゴジンは「非線形科学は、これまでの人が人を搾取するものとは異なる経済発展を可能にする。それは創造力を認め、自己組織化につながるものだ」とも述べたと語り、フランシスコ・ヴァレラ（科学者）の「（ビジュアル）アートは、見えないものを引き出す。アーティストの創造力は、生命進化の創造力と似ている」という一説を紹介した。ウェイヤースは、ヴァレラはまた、私たちの中心にウェルビーイングを置くことが重要だと語ったとして、ボイスの「社会彫刻」は他者のウェルビーイングを考えることであり、それが私たちの将来像であるべきだと述べ、最後に「私たちは、ボイスや他者の言葉に耳を傾け、前進しているのです」と笑顔で結んだ。

パネルディスカッション「来るべき社会とアートの役割」

第二部のパネルディスカッションでは、三名の登壇者（岩崎秀雄、占部まり、奥野克巳）によるプレゼンテーションの後、私のモデレーションで討議を行った。

占部は、まず宇沢弘文の「社会的共通資本」を紹介し、宇沢が「自然環境を初めて経済学として考えた」存在であると述べ、その考え方を起点に自身が関わる医療において、経済性が優先されるのではなく、むしろ「経済が医療に合わせる」ことの重要性を指摘、また英国の孤独省が展開する社会的処方としてのアートや、オランダの「ポジティブヘルス」（困難な状況に立ち向かう能力）を紹介しつつ、人と人とのつながりやアートが人々の健康にもたらす効果について述べた。医療においては、「生命」（科学的）と「いのち」（物語）の両方で人を捉える必要があり、そのための教育の重要性も語られた。医療や教育は、宇沢が挙げた「社会的共通資本」の三項目のひとつだが、その上で占部は、宇沢が触れていなかったアートを社会的共通資本とみなしているように思われる。

生命科学者でアーティストという、一種特異な立ち位置をもつ岩崎は、近代科学から漏れ出すものについて自身のプロジェクトを紹介しながら語った。まず世界を、クラインの壺の構造を援用しつつ説明する。そこでは自然の中に人間が含まれ、アルス（技術）の中に科学が含まれ、その科学が自然を対象とする……という互いが入れ子のように繰り込まれた構造があるという。岩崎はその上で、客観性を前提とした「科学」に属しながらも論文に主観的な言葉が使われたり、国内では実験動物の慰霊が行われているという生物学の領域に批評的に切り込んだバイオアート作品やmetaPhorest[※5]とのコラボレーション名義のプロジェクトを紹介した。[※6]その思索と実践は、生命の本質やあり方を問うだけでなく、社会や科学という既存のシステム自体に問いを投げかけるものである。そこでは生命は、さまざまなものの関係の中で定義されるものといえ、占部が提示した生命（科学的）といのち（物語）の問題系にも接続される。

奥野はまず、ボイスがコヨーテと数日間過ごした《コヨーテ——私はアメリカが好き、アメリカも私が好き》（一九七四年）に言及した上で、二〇〇〇年代にアーティストのアダム・ザレツキーが、ショウジョウバエや酵母、大腸菌、カエルなどの多種とともにコンテナで一週間暮らしたプロジェクトを紹介し、三十年間で、「人間‐動物」という一対一の関係が「多種の絡まり合い」へシフトしたと述べる。マレーシア・ボルネオ島の狩猟民プナンのフィールドワークを長年続ける奥野は、リーフモンキーという猿と、その名前がついた鳥、リーフモンキー鳥と人間との三者が絡まり合う事例などを挙げながら、自然と人間の対立を前提としない、存在論的な関係性を指摘した。岩崎が感じる、近代以降の科学で抜け落ちるものと、奥野が語る人間を超えて（モア・ザン・ヒューマン）いく人類学の世界観の近接性とともに、三人の登壇者それぞれがアートに可能性を見い出していることを確認することができた。

ディスカッションでは、アートの可能性をアナーキーさに見る奥野、批評性とともに危険性も孕むという岩崎の意見に始まり、占部が提示した生死の境界の曖昧化という観点から、生や生命の問題へと分け入った。奥野は、自ら取り組むマルチスピーシーズ人類学の研究と仏教との関係性を指摘、また文化人類学者のエドゥアルド・コーンが、森の中で録音し、森も「聴き」「思考」すると述べたエピソードを紹介した。

その後議論はアートと生命や生死の問題へ移行したが、アートについて、人々を生き生きとさせるもの（占部）、人と人との関係性やネットワーク（岩崎）、多種の絡まりあい（奥野）という言葉が発された。三人が、アートを「ライフ」――生命や生存、生きること、そして人生――と密接に関わるものとみなしているだけでなく、人間以外の存在とも関わる可能性と捉えていることがうかがわれた。

基調講演で、オードリーが提起した、人々が「共創」することで未来の社会や創造物を作っていくという「テクノロジーという形の民主主義」、また、ラウリンが開いたアーティスト、科学者、精神に関わる人々の対話、その対話の中でヴァレラが語ったアートの創造力と生命進化における創造力との類似、あるいはラウリン自身が述べた他者のウェルビーイングを考えること――これら四つの視点からは、ボイスが述べた「人は誰もが芸術家である」「社会彫刻」が、今まさに必要であり、その方向をめざして実際に前進しつつあることが感じられた。

パネルディスカッションで話された、ライフとアートとの密接なつながりが非人間へも延長されていくという可能性については、現在において、「人間や非人間など多種が絡まり合った状態」での「芸術家」や「社会彫刻」を想定することができるのではないだろうか。人間のためだけでないアート、人間によるものだけでないアート……。メディアアートを通してそのような作品に長く関わってきた筆者は、とりわけ近年、その重要性を強く感じている。※7

三人の方々と、分野を超えて、真摯にアートと生について掘り下げていった対話も共同創造のひとつとして未来へつながっていくだろう。加えて、アートを共創しうる存在として、過去に生きた人々や存在や現象、未来に生まれうる生命や存在や現象をも、想像的に包摂しうるのではと考える。これらはいずれも、まさに潜在的な「想像力という〈資本〉」であり、その可能性を開くのは、今生きている私たちに他ならない。

※1 ヨーゼフ・ボイス生誕百年／「対話と創造の森」誕生記念フォーラム「精神というエネルギー――石・水・森・人」、一般社団法人ダイアローグプレイス主催、「対話と創造の森」長野県茅野市よりライブ配信、二〇二一年十一月六日十－十七時。ゲスト：石埜三千穂（諏訪信仰研究者・スワニミズム事務局長）、小松隆史（井戸尻考古館館長）、竹之内耕（糸魚川市立フォッサマグナミュージアム館長）、山川冬樹（アーティスト、パフォーマー）、共同ホスト：四方幸子、新野圭二郎。https://youtu.be/kONXFEkamlc（本フォーラムの前段階として、二〇二一年六月から十月まで、毎月一度、上記登壇者を各一名招き、諏訪・八ヶ岳の自然、精神、文化を掘り下げるオンライントーク「e講」を開催した）

※2 「想像力という〈資本〉――来るべき社会とアートの役割」、ALTERNATIVE KYOTO――もうひとつの京都（京都府）主催、企画：八巻真哉（ALTERNATIVE KYOTO）、四方幸子、登壇者：オード

リー・タン（台湾ソーシャル・イノベーション担当デジタル大臣）、ラウリン・ウェイヤース（アーティスト、ライター）、岩崎秀雄（アーティスト、生命科学研究者）、占部まり（内科医、宇沢国際学館代表取締役）、奥野克巳（文化人類学）、四方幸子。二〇二一年五月に京都文化博物館で開催予定であったが、京都府の緊急事態宣言を受け中止、事前収録したものを二〇二一年六月二十二日から動画配信にて公開。協力：SUPER DOMMUNE。https://vimeo.com/563943550

※3 京都府が「海の京都（府北部）」「森の京都（府中部）」「お茶の京都（府南部）」エリアで展開するアートプロジェクト。地域資源を引き出し国内外へ発信し、地域経済の活性化につながる取組みで、二〇二一年はアートフェスティバルとして開催された。

※4 フランスのフルクサスのアーティストであるロベール・フィリウは、チベット密教僧となり、ボイスとダライ・ラマの面会の実現にも尽力、「ＡｍＳＳＥ」の発案者の一人でもあったが、その実現前に亡くなった。「ＡｍＳＳＥ」は、ボイスに加えてフィリウ追悼の意味ももっている。

※5 早稲田大学生命美学プラットフォーム。岩崎が教授を務める早稲田大学内に設置されているバイオアートの研究施設およびそのメンバー。アーティストが研究員としてバイオアートのリサーチや実験を行っている。

※6 自身のシアノバクテリアについての論文の主観的な部分を切り刻み、シャーレ内でシアノバクテリアにより食い破らせる「Culturing<Paper>Cut」（二〇一三年）や、動物やモノまでも供養する日本の精神風土の中で、人工的な生命が慰霊に値するのかを問いかけた「aPrayer：まだ見ぬ 作られしものたちの慰霊」（岩崎秀雄＋metaPhorest、茨城県北芸術祭 二〇一六）など。

※7 また同時に近年のＡＩの高度化は、上述したアートの様態とは異なる地平をもたらし始めている。

アートコモンズの実践「対話と創造の森」

二〇二一年十月二十三日午後二時過ぎ、快晴。長野県茅野市の八ヶ岳山麓の森の中で、新たな光が開けた……！　天空を向いて設置された約二・四メートル×八メートルのチタンの大鏡が、ゆっくりとシートを剥がされ露わになり、空と木々が鮮やかに映し出される瞬間に立ち会った。《光の対話場》のお目見えである（口絵P8参照）。これまで見たことのないものを見て、正直、何とも言えない感動に包まれた。カバーを剥がすプロセスをドローンで撮影するため、少し離れた上の道路から見守ったが、そこから見える鏡面にはそこここに微妙に歪んだ木々が映り込み、現実とは異なる不思議な世界を見せている。光や木々が刻々と変化する中、映し出される像はフルイド的に微妙にぶれ、たゆたい続ける。もちろん自分が動くことでも多様な表情を見せてくれる。近くに行くと、映像は歪みを減じてシャープに見える。木々、そして周囲に佇む知人や関係者たちを映し出すその面は、三次元空間を二次元へと投射したものといえるけれど、現実よりクリアで解像度が高く感じられる。あたかも別次元が開口したかのように。矩形の内部に広がる奥行きは、私たちの想像を鏡の向こうへ誘ってゆく……。以前からスケッチを見たり製作の進捗を聞いたりしていたけれど、実物は想像を遥かに超えるものだった。誰も見たことのないもの、この世界になかったものが出現したのだ！「大鏡」は、周囲の円形の白い面（敷きつめられた白御影石）の上に浮いているかのように見える。下には約二十センチメートルの高さで鉄平石がフラットに敷かれ、鏡を載せている。《光の対話場》で使われているチタンや鉄平石、白御影石という素材は、いずれも火山エネルギーが生み出した素材で、この地域でも産出されるという。すべてを地産の素材でまかなうことはできなかったものの、この場所はフォッサマグナに由来し、火山活動によって生まれた八ヶ岳の歴史や地勢とつながっている。地中から生まれ精錬された素材を、現代の技術の粋を集めて一枚物の大鏡として仕上げ、自然の中に設置したそれは、周囲の風景を映し出すだけではない。木々のざわめきや鳥の声、ここを下ったところを流れる渓流のせせらぎなど周囲の音や周波数、そして気温や湿度など、自然の移ろいに感応するメディウムといえる。これからは、満月の夜や雨や雪など異なる季節や気候の中でイベントや対話の場として開示され、集う人々や交される言葉にも感応していくことだろう。

公共創造家、新野圭二郎

《光の対話場》は、二〇二一年九月に公共創造を目的として設立された一般社団法人ダイアローグプレイスが新たに開設した「対話と創造の森」の中にあり、この組織の理念を体現するものである。組織の代表理事は、「公共創造家」を名乗る新野圭二郎。《光の対話場》は、アーティストとしての活動歴ももつ新野によって十年以上前に構想され、N STUDIO, Inc.（新野圭二郎＋三宅祐介＋沼尾知哉）によって実現された。その名の通り、光を受け自然の移ろいを映し出す場として、人と自然、人と人が対話に開かれることがめざされている。新野はアーティストのパフォーマンスなどにもこの場を開き、アートを介した現代における祭祀場になればと言う。《光の対話場》に、構想・実現者である新野は個人名をクレジットしていない。彼にとっては、この場そして「対話と創造の森」で起きることが重要なのである。つまり「新しい公共」を人々とともに創造していくことこそが、彼のプロジェクトで作品といえるだろう。それは彼が、ヨーゼフ・ボイスの「社会彫刻」という理念に強く賛同しながら、現代における「公共創造」を希求していることにつながっている。日本橋で文化や地域の活性化に関わり、江戸時代に遡る日本の根源的な精神性を探求する中で、諏訪・八ヶ岳地域に突き当たり、コロナ禍の状況をふまえ思い切ってこの地に拠点をすえ、新しい公共創造に向かう決断をしたという。長年フリーズしていた《光の対話場》の構想が、新しい公共創造の場として蘇ったのだ。

対話と創造の森は、八ヶ岳山麓の御小屋山（おこやさん）につながる標高千六百メートルの地に広がる約千六百坪の森である。御小屋山は古来より、諏訪大社上社の御柱祭で使われる樅（もみ）の木を切り出す別格の山、七年ぶりの御柱祭で、二〇二二年にはなんと約三十年ぶりに！ここから木が切り出された（台風での倒木などの関係で、長らく別の山から切り出されていた）。

対話と創造の森には、《光の対話場》や少人数が滞在できる「森のラボラトリー」と「森のキッチン」、そしていくつもの磐座（いわくら）が鎮座している。この地は歴史的に入会地（いりあいち）つまり地域の人々が共同で管理していたコモンズ的な土地で、一九六〇年代以降別荘地に貸し出しているものの、財産区という公共団体が所有しているという。そのこともふまえ、新野は入会地を、現代において解釈した新たなコモンズの実践の場として捉え、対話と創造の森を設けた。

対話と創造の森は、ダイアローグプレイスのビジョンに賛同するコモンズメンバーとともに共同運営されていく。具体的には、食事会やアーティストによる滞在制作、発表などを行い、森とアートの両方を育てていくサステナブルな経済の循環が構想されている。同時に地域の人々との交流を大切にし、一般公開の機会も設けていくという。

諏訪・八ケ岳地域

なぜ諏訪・八ヶ岳地域なのか？　私の視点から説明してみたい。

この地域は、明治時代にドイツの地質学者ナウマン博士がその存在を発見したフォッサマグナの西端に位置し、南北に糸魚川－静岡構造線が走っている。そして東西には、中央構造線（九州から関東へと至る大断層）が走り、諏訪湖で二つの断層が交差している。東に広がる八ヶ岳地域では、火山性の豊かな地質や水、動植物に恵まれた自然によって、旧石器時代や縄文時代から人々が生を営み、技術や精神性、そして文化を育んできた。

この地域でとりわけ際立っているのは、縄文時代中期である。約一万年という長期間にわたって技術や文化が花開き、一時は日本列島においてもっとも人口密度が高かったことが、おびただしい数の遺跡によって実証されている。また和田峠周辺で産出される黒曜石は、他産地のものと比べ飛び抜けて上質であり、優れた鏃（やじり）やナイフの素材として旧石器時代から縄文時代にかけて遠方まで運ばれ、青森の三内丸山遺跡でも発掘されている。諏訪・八ヶ岳地域では、畑の中から縄文土器が見つかることも多く、地域の人々による研究が重ねられてきた。出土品を収集・展示する博物館も多くあるが、中でも茅野市の尖石（とがりいし）縄文考古館と富士見町の井戸尻考古館の収蔵品や研究は突出している。前者には、縄文時代の五点の国宝のうちの二点、《縄文のビーナス》と《仮面の女神》がこの地の出土品として収蔵されており、後者では、地元の考古学者、藤森栄一により二〇世紀半ばに開始された独自の研究が現在に至るまで受け継がれ、大きな成果を挙げている。

井戸尻考古館は「井戸尻文化」[※1]を提唱したが、その文化は山梨県、神奈川県、東京都、そして埼玉県や静岡県にも及んでいる。これらの地域では、土器の文様や立体的な特徴に共通点があり、通じ合う精神性や世界観が見られるという。井戸尻考古館は、これらの地域が富士山を中心に両方に眉のように延びていることから、「富士眉月弧文化圏」という呼称も提唱している。

諏訪・八ヶ岳地域では、縄文時代以降、現在に至るまで、自然、そしてそこから育まれたアニミズムに基づく精神文化が連綿と息づいているように思われる。中でも、この地で独自の展開を遂げた「ミシャグジ信仰」が挙げられる。ミシャグジは、民間信仰において石や石棒など形状のあるもの自体として捉えられがちだが、実態はそうではない。諏訪信仰研究家でスワニミズム事務局長[※2]の石埜三千穂によれば、「要するに、世界に遍在するエネルギー。(それを)神長官がいろんなところに下ろし、のちに上げる」[※3]ものであり、スワニミズム多摩事務所の藤森寛行によると、「太古の精霊の流れをくむカミであり、信州諏訪地域の縄文時代中期にその起源をたどることができる精霊」[※4]とされる。ミシャグジ信仰は、明治時代まで神長官が秘技として受け継いできた。長い歴史の中では、ヤマト王権が体系化した神社信仰や仏教が流入することもあったが、時代時代にそれらを受け入れながらもその根底を失わずに息

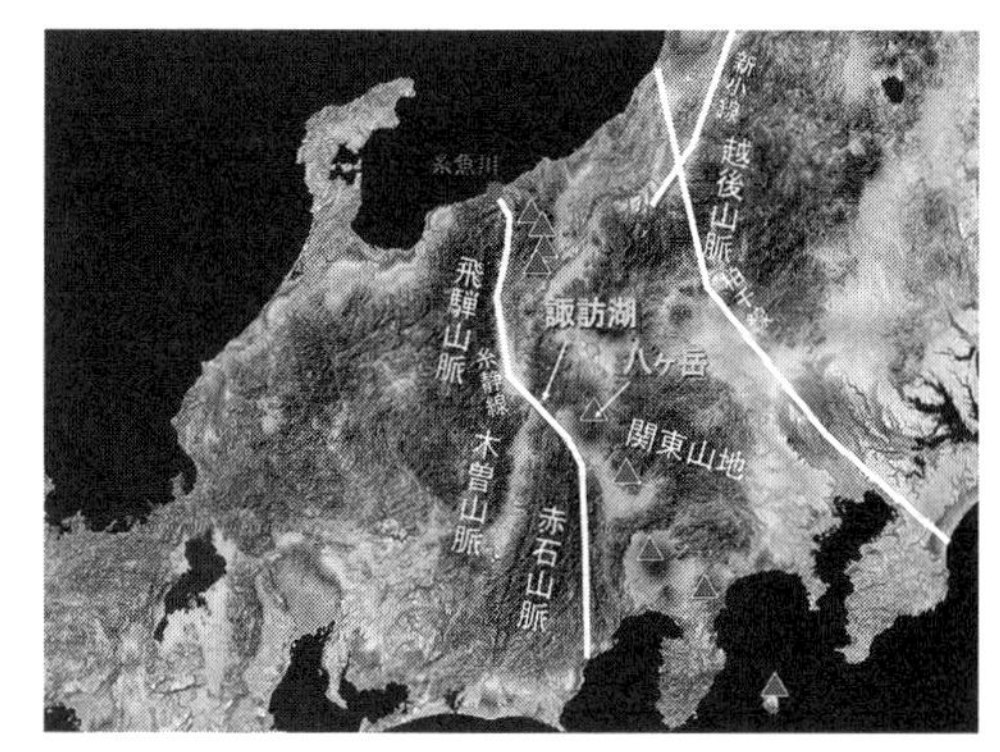

諏訪湖を取り巻く断層　画像提供：フォッサマグナミュージアム

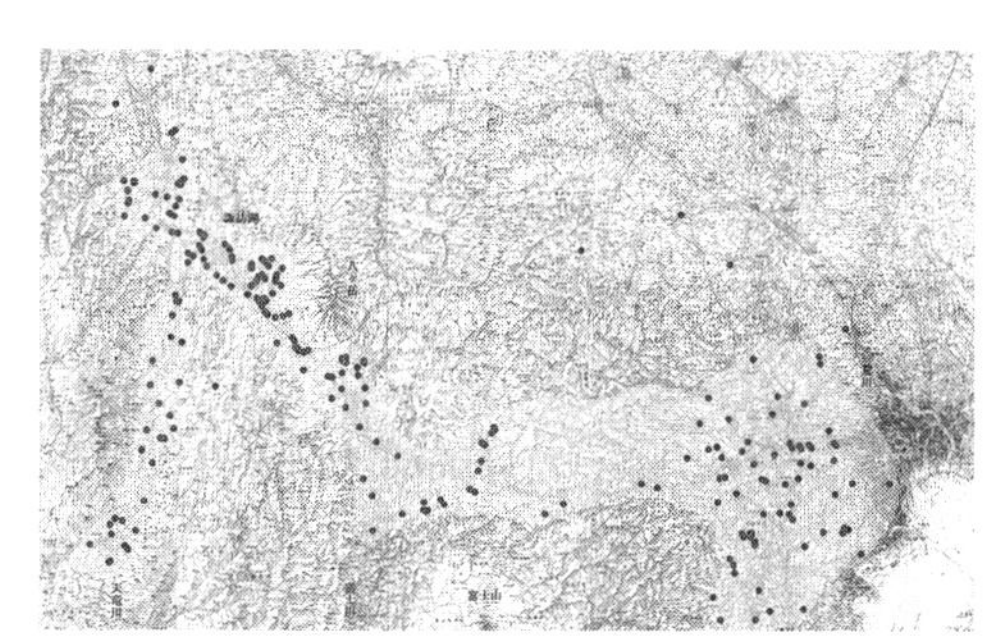
井戸尻文化の広がり「富士眉月弧」　図版提供：井戸尻考古館

づいてきたという。広義の民間信仰としてのミシャグジは、名前や形態を変えながら、富士眉月弧文化圏に広がっている（東京都練馬区の石神井という地名もミシャグジが由来とされる）。これら文化の中心地であり発信地でもあった諏訪・八ヶ岳地域には、明治時代以降の近代化で否定されてしまった日本古来の自然を基盤とした精神世界が今も受け継がれていると感じる。と同時にこの地域は近代以降、紡績や精密機器など欧米の技術をいち早く参照しつつも独自の方法を発見し産業を振興してきた側面ももつ。古くからの精神世界と独自の近代化を実現した地域としても注目に値する。

私と諏訪・八ヶ岳地域

私と諏訪・八ヶ岳地域との関わりは、数年前に遡る。もともとは、十年前の東日本大震災とそれに続く津波、そして東京電力福島第一原発事故が契機となっている。とりわけ福島第一原発での未曾有の人災について、それを引き起こした日本はどのように近代を輸入し受容してきたのだろうかという視点から、日本の近代史とともに明治時代以降に排除されてきたさまざまなものを検討し始めた。と同時に日本の成り立ちを、地質や気象、水、動植物や人や物の移動といった「情報フロー」の側面から検討し、環境要素がそのフローにより、人々の精神性や文化を育んできたことを実感しながらキュレーションを行ってきた。日本は太古から、大陸や太平洋などから人々が移動してきた場所であり、根底にハイブリッドな多様性をもつのではないか。私はそのような日本における先住民の中で、縄文やアイヌなどの狩猟採集を主とする人々や文化に注目してきた。また縄文遺跡が東日本に多いことに注目し、かつて東北日本と西南日本を分断していたフォッサマグナについても調べていた。二〇一九年の夏から秋にかけて、アーティストの松本春崇と角田良江が茅野や諏訪を中心に東京を含めた複数地点で、地域の人々とともに家を十字に縛るプロジェクト「旅する家縛りプロジェクト 縄の聖地・信州へ」を行ったが、その中で、茅野で開催されたシンポジウムに参加したことが、諏訪・八ヶ岳地域に深く分け入る契機となった。それまで調べていたフォッサマグナ、縄文、螺旋に加え、この地域に根づく複層的な信仰や精神文化を知り、それを受け継ぐ多くの人々と出会うことができた。

二〇二〇年秋、コロナ禍において新野と頻繁に対話を始めたのは、それぞれが諏訪・八ヶ岳地域に関わっていたことと、ヨーゼフ・ボイスに影響を受けていることがきっかけだった。ボイスの現在におけるアップデートの可能性を新野と話し合う中で、彼は二〇二一年からボイスの社会彫刻を展開した「公共創造」を提唱、私は「人間と非人間のためのエコゾフィーと平和」をテーマに掲げた。そしてボイス生誕百年の二〇二一年十一月六日に、未来を見すえていくための創造的な対話の場を開くフォーラムを「対話と創造の森」で実現させた。

フォーラムに至るまで

フォーラム「精神というエネルギー――石・水・森・人」は、ヨーゼフ・ボイス生誕百年と、そして対話と創造の森の誕生を記念するもので、《光の対話場》を会場に自然の中からライブ配信された。この地域の地層や自然、文化、精神性を研究する地元の専門家に加え、アーティストの山川冬樹を招聘し、トークのみならず《光の対話場》に呼応するパフォーマンスを日没にかけて実施した。[※5]

このフォーラム開催を最初の目標として、春以降、新野とともに諏訪・八ヶ岳地域のさまざまな場所をめぐり、地域の方々にお話をうかがう機会をもつことができた。そこでの体験は現在も私の中で発酵し続けている。また、新野と対話する中で、ボイスとこの地との創造的な関連づけがおのずと浮上し始めた。ボイスはエネルギーの流動を提唱したが、とりわけ熱エネルギーの変容を重視していた。「社会彫刻」においても同様である。そして対話と創造の森はまさに、火山熱に由来するエネルギーが物質化したともいえる地であり、《光の対話場》も同様である。熱エネルギーという側面からボイスとこの地が結びつき、熱を自然から

フォーラム「精神というエネルギー――
石・水・森・人」メインビジュアル

霧ケ峰高原八島湿原の中の磐座
筆者撮影

対話と創造の森にある
「森のラボラトリー」
撮影：新野圭二郎

人間へと至る不可視のエネルギーと捉えることで、フォーラムの基軸が育っていった。そしてフォーラムに至る序走として、六月から十月にわたって新野と共同で企画しホストとなって、諏訪・八ヶ岳の土地や精神性について各分野の専門家を招いて検討するオンライントーク「e講」を計五回開催した。※6

このフォーラムを私は、同年五月にしたフォーラム「想像力という〈資本〉——来るべき社会とアートの役割」（前項で紹介）に次ぐものと位置づけている。「想像力という〈資本〉」では、ボイスを起点にオードリー・タンらの基調講演とアート、科学、人類学、経済、医療が交差する対話を生み出したが、「精神というエネルギー——石・水・森・人」では、諏訪・八ヶ岳地域特有の自然や人のエネルギーを広義の「精神」とみなし、その起源に寄り添いつつ未来の地球や人類、そして人類以外の存在へ向けた思考と実践の契機が創出できたらと考えていた。

異なるものの絡まり——磐座と木、そして《七千本のオーク》

《光の対話場》の完成を見届けた十月二十三、二十四日は秋晴れとなり、山川冬樹が現地を初めて視察した。フォーラムでのトークやパフォーマンスのための現場や周辺環境の確認に加えて、諏訪大社上社前宮や神長官守矢資料館に足を伸ばし、スワニミズムのメンバーの方々に霧ヶ峰・八島湿原内にある旧御射山神社を案内していただいた。

《光の対話場》から数十メートル下には川があり、そこまで道もない急な傾斜の山肌をアーティストを含め数人で下った。そこも対話と創造の森の敷地である（熊笹、落ち葉、木々、そして磐座などすべて）。長年人が立ち入らない場所を下る途中で、足元がおぼつかない中、次々と磐座に遭遇した……！　それも、苔むした磐座からあたかも木が生えているような状況をいくつも見かけた。この森の上にある阿弥陀岳（八ヶ岳の一部）は、古阿弥陀岳火山ともいわれ、かつて富士山より高かったという。約二十万年前に山体崩落が起き、現在の姿になったというが、この地の地形もその名残りであり、磐座もそのとき落ちてきたものかもしれない。火山性の磐座に微生物や苔、土などが付着し、石と木がつながり共存している……私はそこからボイスの《七千本のオーク》でオークと玄武岩が一対になっていたことを想起した。ボイスは木を生、石を死の象徴と述べたことがあったが、一方で、マグマが凝固し物質化した玄武岩を死として片づけない解釈もしていた。石や岩も、時の経過とともに多様な生命が付着し、分割や結合を続けていく。それを成長や増殖とみなすなら、木と石も複数の生命を包摂しながら共存する関係にあるといえるだろう。やっとの思いで川まで下り、勢いよく流れる清流を目の前に見る。崖と川の間には美濃戸（みのと）口の登山道があり、人や車に出会う。対話と創造の森は、高さ数十メートルにおよぶ崖の上の別荘地にあり、現在はそこへ至る道はない。新野をはじめとするダイアローグプレイスのメンバーは、私たちが下りてきた急斜面に階段を設け《光の対話場》へのアプローチを作るという。それはつまり、《光の対話場》を媒介に、これまでまったく接点のなかった登山道と別荘地が初めて結ばれることを意味する。

ところで下の渓流の傍には、崖がそそり立ち、そこには大きな穴や横に切り込んだ亀裂がいくつも開き、深い闇を見せている。崖の手前には木が茂り、長く伸びた蔦が垂れ下がっている。あまりにも特異な光景に感動していると、山川はすでにそこに至って亀裂の中に横たわり、聴覚を研ぎ澄ませていた。その光景を見ながら「崖自体がひとつの磐座ともいえて、対話と創造の森はまさにその上にある」と言っていた新野の言葉が鮮やかに蘇ってくるのを感じた。

八ヶ岳の清流は諏訪湖へと流れ込み、諏訪湖から天竜川を経由してはるばる太平洋へ流れていく。そして八ヶ岳の分水嶺の向こうでは、水が日本海へも流れていく……。諏訪は、日本海と太平洋をつなぐ蝶番（ちょうつがい）ともいえる。かつてはフォッサマグナの地形に沿って、日本海側と太平洋側の両方から諏訪に至る塩の道が作られた。フォッサマグナはまた、東北日本と西南日本とをつなぐ蝶番でもある。そして私としては、この地を、ヨーゼフ・ボイスが生涯かけて追求した「ユーラシア（ヨーロッパ＋アジア）」という大陸の文化圏と、日本が地勢的にもつ太平洋を介した海の文化圏とをつなぐ蝶番ともみなしている。

七〇年代初頭に諏訪を訪れ、ミシャグジ神を調べた郷土史家に今井野菊がいた。その今井にお世話になり諏訪の古代を研究した三人の若者の一人、北村皆雄（ドキュメンタリー映画監督、ヴィジュアルフォークロア代表）はこう語っている。「「北村さん、あなたが何で諏訪をやるんですか」。四十数年前、今井さんの突然の問いかけに何の返事もできなかったが、「諏訪を掘ってたらアジアの水脈につながりました」と、今なら素直に報告できるような気がする」。[※7]私にとっては、ボイスのユーラシアと自分がアジアの水脈として捉えている太平洋がつながる気がし、それを「ユーラシア・パシフィック」とよび始めてている。

諏訪・八ヶ岳に関わり始めてから不思議な出会いが続いている。「諏訪づいている」と自分ではよんでいるけれど、以前知り会った人が移住していたり、知人や最近知り合った人が出身だったりと、諏訪・八ヶ岳に縁のある人たちと相互に絡まり出し、エネルギーの奔流を感じている。世代も分野も超えて、多様な人々がこの地域の地勢や自然、古来からの人の営みに共振する、その深層には、「ライフ（生活、人生、生命）」とともにアートの芽があり、それが育ち始めている。「対話と創造の森」は、それをアートコモンズの実践として、大切に育んでいきたい。そのために、この地域の基層に根ざしながら、地域の諸分野の研究者をはじめ狩猟採集、農業、食、医療などに携わるさまざまな人々、若い世代、そして国内外の自然科学、人文科学の研究者、アーティストやクリエイターとの対話を介して、未来の創造を開いていきたい。

※1　井戸尻文化は最初に土器が名付けられた神奈川県の遺跡名と併記して「井戸尻・勝坂文化」とも称される。
※2　諏訪における史学、信仰思想、芸能芸術、考古学、民俗学などを研究する地域の研究者とそのネットワーク。「スワ＋アニミズム」の合体語。研究誌『スワニミズム』も刊行している。
※3　石埜三千穂「自然信仰と世界観――ミシャグジに触れながら」、e講第四回、二〇二一年九月三日。
※4　スワニミズム多摩事務所 藤森寛行「ミシャグジ探偵が行く――第五回《精霊探求編》」、『スワニミズム』第五号、二〇二一年。
※5　ヨーゼフ・ボイス生誕百周年／「対話と創造の森」誕生記念フォーラム「精神というエネルギー――石・水・森・人」、アーカイブ https://www.youtube.com/live/kONXFEkamlc?feature=share
※6　e講（全五回）のアーカイブ https://www.youtube.com/channel/UC8cQYUNpYDAHZ4tn9_ZgwtQ
※7　北村皆雄「今井野菊さんと」、古部族研究会編『日本原初考――古代諏訪とミシャグジ祭政体の研究』人間社文庫、二〇一七年。

おわりに

快晴の春の朝。まばゆい太陽の光と温かさを浴びながら、生きていると実感する。こうして呼吸をしている間も、自分においても世界でもさまざまな情報フローが生起し、関係し続けている。

人間は欲望というフローをもつ。欲望自体は自然のものだが、近代以降の科学・技術の発達はそれを加速させ、私たちは地球規模で深刻な危機にさらされている。コンピュータもAIも戦争も、人間による産物である。ホモ・サピエンスの誕生は、テクノロジーとともにアートの萌芽をともなっていた。アートは他者への想像力を喚起し、テクノロジーにその意味を問う。特定の者が独占せず、共有する「コモンズ」の精神、そして「エコゾフィー」や「平和」に向かって。しかしテクノロジーは、目をそらしがちである……。

私がときたま呟くフレーズのひとつを紹介する。「ヴィーナス（金星）」を「アート」、「マーズ（火星）」を「テクノロジー」と読み換えてみてほしい。

Standing in the hall
Of the great cathedral
Waiting for the transport to come
Starship 21zna9
A good friend of mine
Studies the stars
Venus and Mars
Are alright tonight

大聖堂の中に立ち
輸送船の到着を待っている
スターシップ21zna9
親友は星の研究者
ヴィーナスとマーズは

今宵はうまくいっている、と
——Paul McCartney & Wings "Venus and Mars (Reprise)" (1975) ＊四方訳

そうして、想像力としての〈資本〉を提起してみたい。
「エコゾフィー＝資本」、「平和＝資本」であると。

✤

本書は、二〇二〇年に新型コロナウイルス感染症が世界を覆い尽くしてから、ほぼ収束という認識が高まった二〇二三年春までに執筆した原稿で構成されている。この時期は、自分がこれまで行ってきた活動をあらためて俯瞰する中で、ひとつの流れを確認し、「人間と非人間のためのエコゾフィーと平和」というテーマに向かって舵を取る時期でもあった。

原稿はいずれも、出会い対話を続けてきた人々の思想や実践に触発され、自然に感応し、社会や科学・技術の動向を見守りながら編み上げたものである。とりわけアーティストたちからは、計りしれないインスピレーションとエネルギーを受け取った。原稿の多くはウェブメディアのために書いたもので、文字数にさほどこだわらず思考を散歩させながら、新たなライティングの方法を試みた。そしてこのようなライティングを、私は「批評－エッセイ」と名づけた。危機的(クリティカル)な時代において批評と自由度の高いエッセイを共存させること、それが現時点において私が社会につながっていくための最善の方法だと信じている。いささか奔放な原稿たちを紙の本に所収する初の経験となったが、異なるメディアにトランスポートされることで生まれうる新たなニュアンスに心がときめいている。

原稿の多くは、二〇二一年春からHILLS LIFE DAILYに連載する「Ecosophic Future」から転載させていただいた。転載をご快諾いただいた森ビル株式会社にあらためて感謝いたします。原稿を掲載させていただいた出版社や組織、個人の方々、本書で取り上げたアーティストやさまざまな関係者の方々にも、厚く御礼を申し上げます。

実現にあたっては、アートと科学に造詣が深い編集者の楠見春美氏、フィルムアート社の臼田桃子氏、デザイナーの松川祐子氏、表紙の画像提供および第2章各節冒頭のドローイングを描き下ろしてくださったエレナ・トゥタッチコワ氏、コメントをお寄せいただいた奥野克巳氏に大変お世話になった。そして最後に、出版の機会を開いてくださったデザイナーの永原康史氏に感謝の意を表します。皆さま、本当にありがとうございました。

二〇二三年四月一日 東京にて

四方幸子（エコゾファー）

初出一覧

▽はじめに　書き下ろし

第1章　道標——思想の源流を遡る

▽エコゾフィーとアート　書き下ろし

▽未来へと接続されるボイス　「未来へと接続されるボイス」（『美術手帖』二〇二一年六月号、美術出版社）および「JOSEPH BEUYS, LOUWRIEN WIJERS AND ON OUR FUTURE 社会彫刻、精神彫刻、エコゾフィー——ヨーゼフ・ボイス生誕100年、ラウリン・ウェイヤース、そして私たちの未来」（『HILLS LIFE DAILY』連載「エコゾノィック・フューチャー」04、二〇二一年六月十五日、https://hillslife.jp/series/ecosophic-future/04_joseph-beuys/）の原稿を元に再構成。

第2章　フィールドへ——エコゾフィック・アート論

森

▽エコゾフィーの森へ　P52-60「WE ARE HERE AWAKE AND ALIVE エコゾフィーの未来へ」（『HILLS LIFE DAILY』連載「エコゾフィック・フューチャー」03、二〇二一年三月十九日、https://hillslife.jp/series/ecosophic-future/we-are-here-awake-and-alive/）の原稿を元に再構成。P61-66は書きおろし。

▽富士山から山々をめぐる　「ON MOUNTAINS 山々をめぐって——エネルギー・精神・いのち」（『HILLS LIFE DAILY』連載「エコゾフィック・フューチャー」09、二〇二二年一月十四日、https://hillslife.jp/series/四方幸子の「エコゾフィック・フューチャー」/on-mountains/）の原稿を元に再構成。

生

▽大小島真木——呼吸、空気……そして宇宙万象へ　「呼吸、空気…そして宇宙万象へ」（大小島真木ウェブサイト、Works「綻び

の螺旋」、二〇二二年、https://ohkojima.com/works/works-776#1）の原稿を元に再構成。

▽翁という近代以前の生　「胎動による母体状の超空間。四方幸子評「とうとうたらりたらりらたらりあがりららりとう」」（ウェブ版『美術手帖』二〇二二年十二月二十九日、https://bijutsutecho.com/magazine/review/26566）の原稿を元に再構成。

渦

▽螺旋の思考1 宇宙と生命の記憶　「THE SPIRAL THOUGHTS #1「螺旋の思考」1／2――ミクロ／マクロ、生命そして宇宙のつながり」（『HILLS LIFE DAILY』連載「エコゾフィック・フューチャー」06、二〇二一年九月三日、https://hillslife.jp/series/ecosophic-future/the-spiral-thoughts/）の原稿を元に再構成。

▽螺旋の思考2 持続というリズム　「THE SPIRAL THOUGHTS #2「螺旋の思考」2／2――対称性の破れ、持続というリズム」（『HILLS LIFE DAILY』連載「エコゾフィック・フューチャー」07、二〇二一年十月十四日、https://hillslife.jp/series/ecosophic-future/the-spiral-thoughts_2/）の原稿を元に再構成。

水

▽ポッシブル・ウォーター　「POSSIBLE WATER「コモンズ」としての水、そしてアート」（『HILLS LIFE DAILY』連載「エコゾフィック・フューチャー」11、二〇二二年六月二十四日、https://hillslife.jp/series/ 四方幸子の「エコゾフィック・フューチャー」/possible-water/）の原稿を元に再構成。

▽遍在する水、越境する水　「小論　偏在する水、情報フローとしての世界」（『美術手帖』二〇二〇年六月号、美術出版社）の原稿を元に再構成。

地

▽土地のテリトリーを超える　「LAND, SOIL, COMPOST… AND BEYOND 土地、土、大地、コンポスト……そしてビヨンド」（『HILLS LIFE DAILY』連載「エコゾフィック・フューチャー」05、二〇二一年七月二十四日、https://hillslife.jp/series/ecosophic-future/land-soil-compost-and-beyond/）の原稿を元に再構成。

▽地底人とミラーレス・ミラー　「On and around：「穴」をめぐって」（『αMプロジェクト2020–2021 αM+ vol. 2 わたしの穴　美術の穴　地底人とミラーレス・ミラー』、武蔵野美術大学、二〇二三年）の原稿を元に再構成。

力

▽鈴木昭男――世界の本源と共振する　CD-Book『いっかいこっきりの日向ぼっこの空間』（Art into Life、二〇二三年）への寄稿原稿を元に再構成。

▽南イタリアのエナジー　「ENERGIES IN SOUTHERN ITALY 南イタリアのエナジー―自然、人、アート」（『HILLS LIFE DAILY』連載「エコゾフィック・フューチャー」12、二〇二一年九月十七日、https://hillslife.jp/series/ecosophic-future/energies-in-southern-italy/）の原稿を元に再構成。

電子

▽ポストパンデミック時代に未来をフォークする　Ⅰは「Forking PiraGene」レポートとしてC-LAB（台北）のために、Ⅱはオーストラリアのウェブメディア「Hyphae」のために二〇二一年一月に執筆した英文の原稿を邦訳して再構成。初公開。

▽コモンズからNFTへ　ⅠとⅢの一部は、四方幸子「フェリックス・シュタルダー「コモンズからNFTへ　デジタルオブジェクトとラディカルな想像力」」解題（『Medium』第三号、二〇二二年十二月）を一部短縮（シュタルダー原稿部分）。
Ⅱは、四方幸子「NFTは（モア・ザン・ヒューマン）コミュニティの形成のために使われうるか？――日本におけるアーティストの実践」（『The New Creator Economy［ニュー・クリエイター・エコノミー］――NFTが生み出す新しいアートの形』ビー・エヌ・エヌ、二〇二二年）から抜粋し再構成（元原稿は、フランスのMakeryに掲載されたリレーエッセイシリーズ「From Commons to NFTs」にて英仏語で初公開。Yukiko Shikata "Can NFTs be used to build (more-than-human) communities? Artist experiments from Japan" (28 February 2022, "From Commons to NFTs" by Makery). https://www.makery.info/en/2022/02/28/english-from-commons-to-nfts-to-more-than-human-commons-emergent-interventions/
Ⅲは、シュタルダーの原稿部分以外を書き下ろし。

第3章　創発へ――アートコモンズ展望

▽想像力という〈資本〉　書き下ろし

▽アートコモンズの実践「対話と創造の森」　「DIALOGUE PLACE OF LIGHT 諏訪・八ヶ岳で始動する、新たなコモンズの実践の場「対話と創造の森」」（『HILLS LIFE DAILY』連載「エコゾフィック・フューチャー」08、二〇二一年十一月三日、https://hillslife.jp/series/ecosophic-future/dialogue-place-of-light/）の原稿を元に再構成。

▽おわりに　書き下ろし

四方幸子（しかた・ゆきこ）

京都府生まれ。キュレーター／批評家。美術評論家連盟会長。「対話と創造の森」アーティスティックディレクター。多摩美術大学・東京造形大学客員教授、武蔵野美術大学・情報科学芸術大学院大学（IAMAS）・國學院大学大学院非常勤講師。「情報フロー」というアプローチから諸領域を横断する活動を展開。1990年代よりキヤノン・アートラボ（1990-2001）、森美術館（2002-04）、NTT-ICC（2004-10）と並行し、インディペンデントで先進的な展覧会やプロジェクトを多く実現。国内外の審査員を歴任。共著多数。

yukikoshikata.com

エコゾフィック・アート

自然・精神・社会をつなぐアート論

2023年4月30日　初版発行

著者　四方幸子

構成・編集　楠見春美
デザイン　松川祐子
編集　臼田桃子（フィルムアート社）

発行者　上原哲郎
発行所　株式会社フィルムアート社
〒150-0022
東京都渋谷区恵比寿南1-20-6 第21荒井ビル
tel 03-5725-2001　fax 03-5725-2626
http://www.filmart.co.jp/

印刷・製本　シナノ印刷株式会社

ISBN978-4-8459-2140-9　C0070